얼떨결에 성공하는
인공지능 활용기

장선영

얼떨결에 성공하는 인공지능 활용기

발행	|	2024년 3월 30일
저자	|	장선영
디자인	|	어비, 미드저니
편집	|	어비
펴낸이	|	송태민
펴낸곳	|	열린 인공지능
등록	|	2023.03.09(제2023-16호)
주소	|	서울특별시 영등포구 영등포로 112
전화	|	(0505)044-0088
이메일	|	book@uhbee.net

ISBN | 979-11-93116-71-5

www.OpenAIBooks.shop

얼떨결에 성공하는
인공지능 활용기

장선영

목차

머리말

새로운 시작에 나이는 아무런 문제가 되지 않습니다. 이것이 바로 '얼떨결에 성공했다'가 전하고자 하는 메시지입니다. 이 책에서 제가 직접 경험한 이야기를 나눕니다. 바로 40대 중반에 인공지능을 만나 새로운 도전을 시작하고 실패에 대한 두려움을 극복하는 과정입니다. 평범한 일상에서 벗어나 제 자신만의 새로운 세계를 만들어가는 여정을 담았습니다.

막막하게만 느껴지던 일상 속 작은 문제들이 제 인생에 다가왔습니다. 인공지능을 동반자 삼아 해피엔딩이 있는 소설을 써내려 가면서, 저는 제 상상력을 마음껏 펼쳤습니다. 소설 속에서 저는 제 현실의 문제를 해결하는 주인공이 되어 자신감을 되찾았고, 답답한 현실을 영화의 시나리오로 바꾸며 스트레스를 해소하고 새로운 저를 발견했습니다.

그러나 저의 도전은 여기서 끝나지 않았습니다. 마케팅과 세일즈 영역에서도 인공지능을 활용하여 실행력을 높였고, 세일즈와 마케팅분야에서 아이디어를 실현하기 시작했습니다. 또한, 제 책을 기획하고 유튜브 채널을 개설하여 시나리오를 쓰고, 여러 창작 활동에 도전했습니다. 이 모든 과정을 통해 새로운 기술을 습득하고 제 독창적인 작품을 창조해냈습니다.

"얼떨결에 성공했다"는 이야기는 단순히 하나의 성공담을 넘어서, 모든 이들에게 용기와 영감을 주는 메시지를 담고 있습니다. 중년이라는 시기에도 끊임없이 배우고, 성장하며, 새로운 것에 도전할 수 있다는 것을 보여주는 이 책은, 많은 이들에게 새로운 시작을 위한 용기를 불어넣어줄 것입니다.

저자 소개

저자 장선영은 오랜 세일즈 경험을 가진 대기업 금융그룹 컨설턴트로 재직중이다. 일상의 답답함과 한계에 도전하며 새로운 가능성을 모색하는 여정에서 인공지능 기술과 마주하게 되었다. 인공지능 공부를 통해 자신의 업무를 더 잘 수행하고자 하는 목표와 더불어, 그동안 잘하지 못했던 분야에 도전하는 새로운 욕망을 키워왔다.

이 책에서 인공지능 기술을 통해 일상의 문제를 해결하고, 자신만의 창조적인 프로젝트를 시작하는 과정을 담고 있다.

해피엔딩 소설 쓰기, 영화 시나리오 작성, 세일즈와 마케팅, 유튜브 채널 기획, , 패션디자인, 기획자 도전 등 다양한 분야에서 저자는 인공지능의 도움을 받아 자신의 잠재력을 꽃피웠다.

이제 더 나아가 인공지능을 통해 자신의 잠재의식을 확장하고, 새로운 가능성을 탐색하며, 실패에 대한 두려움을 극복한 경험을 이 책을 통해 공유하고자 한다.

1장.
해피엔딩 소설쓰기

- 풀리지 않는 일상의 문제를 해결하는 창의적 글쓰기

이 장에서는 일상의 문제를 해결하는 창의적 글쓰기와 인공지능을 활용한 소설 구성 및 스토리텔링에 대해 탐구합니다. 우리는 종종 일상에서 마주치는 문제들을 해결하는 데 있어 창의적인 접근이 필요함을 깨닫게 됩니다. 이러한 상황에서 소설쓰기는 놀라운 해결책이 될 수 있습니다. 아래는 스토리텔링 프롬프트를 작성의 예시입니다.

User 프롬프트:

"빚을 갚기 위해 우주백화점 제휴카드 컨설턴트로 취업한 민영은 그곳에서 열등감과 시기 질투 욕심으로 가득한 경쟁사 직원 지영의 모략으로 하루하루가 고난의 연속이지만 선배인 수진의 지혜와 민영의 진실된 마음을 알아주는 백화점 직원들과 고객들의 도움으로 결국 지영은 백화점에서 퇴출된다.

그리고 수진과 선영은 힘을 합쳐 백화점 역대 최대 실적을 올리며 행복하게 산다는 소설 써줘."

ChatGPT:

《우주백화점의 민영 이야기》

민영은 빚을 갚기 위해 우주백화점 제휴카드 컨설턴트로 취업했다. 하지만 그 곳에서의 경쟁은 상상 이상으로 치열했다. 경쟁사 직원인 지영은 민영의 직접적인 경쟁자였는데, 그녀는 민영에게 적대적으로 행동하며 수많은 어려움을 주었다.

힘든 나날을 보내던 민영은 결국 자신의 감정을 극복하고, 더 나은 자신이 되기 위해 노력하기로 결심했다. 이러한 그녀의 변화를 지켜본 선배 수진은 민영에게 조언과 격려를 아끼지 않았다.

그러던 어느 날, 지영이 경쟁 과정에서 부정한 방법을 사용한 것이 드러나게 되었다. 우주백화점 측에서는 이를 용납할 수 없었고, 지영은 결국 퇴출당했다. 이후 민영과 수진은 더욱 협력하여 백화점 업무를 성공적으로 수행하고, 고객들의 도움으로 백화점 역대 최대 실적을 달성했다.

민영은 빚을 모두 갚고, 수진은 자신의 능력을 마음껏 발휘하며, 두 사람 모두 행복하게 살았다. 우주백화점은 고객과 직원 모두가 함께하는 행복한 공간으로 거듭났고, 이 소식은 널리 퍼져 많은 사람들이 우주백화점에서 일하고 싶어하게 되었다. 이렇게 해서, 민영과 수진의 우주백화점에서의 경험은 직원들과 고객들이 함께하는 백화점 문화를 만들어내는 데 큰 역할을 했다.

일상 속에서 맞닥뜨리는 문제들, 때로는 그것들이 우리를 압도하곤 합니다. 하지만, 창의적인 소설 쓰기를 통해 이 문제들에 대한 새로운 해결책을 찾을 수 있어요. 특히 인공지능을 활용하면, 이야기 구성과 스토리텔링이 한층 더 풍부해질 수 있죠.

- 인공지능을 활용한 소설 구성 스토리텔링

실제 주인공의 이야기를 통한 소설 쓰기

민영은 어려운 경제사정으로 우주백화점에서 제휴카드 컨설턴트로 일하는 평범한 여성입니다. 하지만, 경쟁사 직원 지영의 모략과 열등감, 시기, 질투로 가득 찬 어려움을 겪죠. 이러한 상황은 소설의 흥미진진한 배경이 됩니다.

인공지능을 활용한 스토리텔링

인공지능은 민영의 일상을 분석하여 갈등과 클라이맥스를 찾아내고, 다층적인 이야기를 만들어냅니다. 예를 들어, 민영의 내면적 갈등, 동료들과의 관계, 지영의 모략이 드러나는 순간 등을 들 수 있어요.

창의적인 해결과 해피엔딩

소설은 민영이 선배 수진의 도움을 받아 지영의 모략을 극복하고, 우주백화점에서 최대 실적을 올리는 내용으로 끝납니다. 이 해피엔딩은 민영의 성장과 성공을 보여주며, 독자들에게 희망과 용기를 전달합니다.

삶의 고통에서 벗어나게 하는 소설쓰기의 효과

이런 창의적인 소설 쓰기는 우리가 현실의 문제에 대해 다른 시각으로 접근하고, 가능한 해결책을 찾도록 돕습니다. 또한, 인공지능의 도움으로 더욱 풍부하고 구조적인 이야기를 만들어낼 수 있습니다.

이 장에서는 독자들이 자신의 일상과 문제를 소설의 소재로 활용하는 방법과 인공지능을 활용해 개인적인 이야기를 창조적으로 풀어나가는 방법을 배우게 됩니다.

마직막으로 제 3자의 관점에서 현재의 상황을 한발짝 떨어져서 바라보게 함으로써 현실의 고통에서 벗어나 삶을 관조하는 효과가 있습니다.

2장.
현실을 영화로 만들기

- 답답한 현실을 영화로 바꿔서 스트레스 해소

이 장에서는 민영의 답답한 현실을 영화 시나리오로 바꾸는 창의적인 과정을 탐구합니다.

이 방법은 일상의 어려움을 다루는 동시에, 긍정적인 해결책을 찾는 데 도움을 줄 것입니다.

User 프롬프트 :

"우주백화점에서 제휴카드 컨설턴트로 일하는 민영은 경쟁사 직원인 지영이 민영을 시기 질투한 나머지 민영과 동료 수진을 괴롭히며 수단과 방법을 가리지 않고 백화점 규정을 무시하고 영업을 해서 욕심을 부린다. 민영은 이런 지영이 착해지게 해달라며 신에게 기도하는데 신이 이 기도를 들어주고 천둥번개가 치는 날 지영이 번개를 맞고 착해져서 새사람이 된다.

지영은 살아있음에 감사하고 밥만 먹고 살아도 행복하다는 것을 깨닫고 가진 재산을 사회에 환원하며 진정한 감사와 행복을 깨닫는다. 그리고 민영은 카드사경력을 통해 사업을 해서 크게 성공하게 되고 수진은 지점장이 되어 승승장구한다는 영화 시나리오를 코믹하고 해피엔딩으로 써줘."

ChatGPT:

영화 시나리오:《우주백화점의 변화》

장면 1: 우주백화점 영업실

민영: (분노하며) 이게 무슨 방식이야? 백화점 규정을 이렇게 어기고 영업하는 거, 정말 인정할 수 없어!

지영: (조롱하며) 경쟁하는 재미가 있어. 네 실적을 따라잡기 힘들어서 이렇게라도 해야겠다고 생각했지.

민영: (고개를 숙이며) 우리 서로 돕고도 할 수 있는데, 왜 이런 식으로 행동해? 정말 착해지기를 바란다고...

장면 2: 민영의 기도와 번개의 축복

민영: (기도하는 모습) 부디, 지영에게 변화를 가져다주세요. 모두가 행복해질 수 있게 해주세요.

(천둥소리와 함께 강한 번개가 지영을 맞추고, 그녀는 크게 변화한다.)

장면 3: 지영의 변화와 진정한 행복

지영: (눈부신 변화) 살아있음에 감사해... 간단한 일상 속에서도 행복을 찾을 수 있어. 내 재산을 사회에 환원하고, 진정한 행복을 찾고 싶어.

장면 4: 민영의 사업 성공

민영: (자신감) 나의 경력을 살려 사업을 시작할 거야! 서로 협력하며 큰 성공을 이루자.

(민영의 사업이 번창하는 장면)

장면 5: 수진의 지점장 승진

수진: (기뻐하며) 나도 민영, 지영처럼 성장하고 싶어. 백화점에서 더 큰 역할을 맡고 싶어. 지점장으로 성공하겠어!

장면 6: 선영의 사업 성공과 성장

민영: (자신감) 내 경력을 바탕으로 우주백화점을 더 발전시키자!

(민영의 사업이 번창하는 장면)

장면 7: 해피 엔딩

민영: (감사) 모두 수고했어요. 우리의 노력으로 큰 성공을 이뤘어요. 이제 우리는 진정한 행복을 알게 됐어요.

수진: (웃음) 그래요. 서로 영감을 주고 함께 성장했어요. 이제 지영도 변했고, 우리는 행복하게 일하며 미래를 향해 나아갈 거예요.

(민영과 수진이 손을 잡고 앞으로 걸어갑니다. 화면은 밝아지며 영화는 해피 엔딩으로 마무리됩니다.)

- 인공지능과 함께하는 드라마틱한
시나리오 작성

민영의 현실을 영화로 만들기

민영의 직장에서의 갈등과 스트레스를 영화의 시나리오로 재구성합니다.

이 시나리오에서는 우주백화점에서 겪는 어려움과 동료들과의 갈등이 주된 내용이 됩니다.

영화의 주인공으로서 민영은 도전과 역경을 극복하는 강인한 여성으로 그려집니다.

직장 동료들의 변화

시나리오에서는 민영을 괴롭히던 동료들이 점차 변화하는 모습을 보여줍니다. 처음에는 부정적이었던 동료들이 민영의 진심과 노력을 보며 마음을 바꾸고, 그녀의 성공을 돕기 시작합니다.

긍정적 변화와 성장의 여정

시나리오는 민영이 어려움을 극복하고 성장하는 과정을 중심으로 진행됩니다. 동료들의 지원을 받으며 민영은 자신감을 얻고, 자신의 목표를 향해 나아갑니다. 이 과정에서 그녀는 자신의 진정한 가치를 발견하고 자신감을 되찾습니다.

시나리오 작성의 효과

영화 시나리오로 현실을 재구성하는 것은 문제를 새로운 관점에서 바라보고, 창의적인 해결책을 모색하는 효과적인 방법입니다. 이 과정은 일상의 어려움을 긍정적으로 변화시킬 수 있는 창의력을 발휘하는 데 도움을 줍니다.

독자들은 이 장을 통해 자신의 현실을 영화 시나리오로 바꾸는 방법을 배우고, 이를 통해 일상의 문제를 긍정적으로 해결하는 방법을 찾을 수 있을 것입니다.

또한 영화 시나리오를 쓰는 행위는 우리가 현실의 문제를 한 발짝 떨어져서 관조하며 바라보는 데 큰 도움이 됩니다. "번개의 기적"과 같은 시나리오를 작성함으로써, 우리는 현재의 어려움들을 하나의 이야기로 재구성하고, 이를 통해 문제를 객관적이고 창의적으로 해석하는 기회를 갖게 됩니다. 이 과정에서 우리는 현재의 고난이 결국 긍정적으로 해결될 것이라는 희망의 관점을 유지할 수 있습니다.

시나리오 속에서 우리는 주인공이 어려움을 극복하고 성장해 나가는 모습을 통해, 현실 속 문제도 결국은 해결될 수 있음을 상기시킵니다. 이는 마치 잠재의식에 "모든 것이 잘 풀릴 것이다"라는 긍정적인 메시지를 심어주는 것과 같습니다. 그 결과, 우리는 현실에서도 어려움을 더 가볍게 받아들이고, 문제에 맞서는 태도가 보다 유연하고 긍정적으로 변화하게 됩니다.

더불어, 영화 시나리오를 쓰는 과정은 우리에게 현실을 넘어서 원하는 미래를 창조할 수 있는 힘을 부여합니다. 시나리오 속에서 이상적인 결과를 구현해 나가는 것은 실제 삶에서도 동일한 결과를 이끌어낼 수 있는 신념과 행동으로 이어질 수 있습니다. 이러한 창조적 작업은 잠재의식에 강력한 긍정의 메시지를 반복적으로 심어주어, 우리가 현실의 어려움을 넘어서는 데 필요한 에너지와 동기를 제공합니다.

이렇게 영화 시나리오 쓰기는 단순한 창작 활동을 넘어서, 현실의 고통을 감소시키고, 부정적인 상황을 긍정적으로 전환시키며, 더 나아가 원하는 미래를 현실화하는 데 있어 매우 효과적인 수단이 됩니다.

저는 이렇게 긍정적인 미래를 영화시나리오로 만들어 상상하고 이를 통해 삶의 긍정성을 불러일으키고, 잠재의식에 긍정적인 변화를 가져오는 힘을 경험할 수 있습니다.

3장.
창의적인 마케팅 및
세일즈 전략 개발

마케팅과 세일즈 전략을 위한 행동계획 수립은 우주백화점에서 제휴카드 컨설팅을 담당하는 저에게 중요한 과제였습니다.

제휴카드를 매장에 홍보하기 위해 방문 전, 거절당하는 것에 대한 두려움을 극복하고자 매장 방문전에 시나리오를 세밀하게 작성했습니다.

이 행동계획은 실제 환경에서의 상황에 능동적으로 대응하고, 목표를 효과적으로 달성하기 위한 전략적 접근법을 포함했습니다.

User 프롬프트:

나는 우주백화점에서 제휴카드를 발급해주는 일을 해. 카드가 없는 분들을 연결해달라고 매장분들에게 상품홍보를 하며 인사를 드리러 갈껀데 행동계획 시나리오를 작성해줘

ChatGPT:

행동계획 시나리오: 우주백화점 제휴카드 홍보 및 인사 방문

장면: 우주백화점 매장 내부, 카드 발급 카운터 앞

인물: 홍보 담당자(당신), 매장 직원(매장 분)

우주백화점 제휴카드 홍보 및 인사 방문 장면

홍보 담당자(당신)는 우주백화점 매장으로 출근하고 카드 발급 카운터 앞에 도착합니다.

매장 분이 카운터에서 고객을 상대하고 있는데, 홍보 담당자(당신)는 카운터 근처에서 기다립니다.

매장 분이 현재 고객과 대화를 마치고 고객이 떠나자 홍보 담당자(당신)는 매장 분에게 인사를 건넵니다.

홍보 담당자: "안녕하세요! 저희 우주백화점 제휴카드 홍보 담당자입니다. 혹시 카드가 없는 분들을 연결해드리고 싶어서 매장을 찾아왔습니다."

매장 분은 당신을 반갑게 맞이하며, 홍보 담당자(당신)와 함께 고객을 연결할 수 있는 방안에 대해 이야기합니다.

매장 분: "안녕하세요! 반갑습니다. 우주백화점에서는 많은 고객분들을 맞이하고 있지만, 아직 제휴카드를 발급받지 않은 분들도 많이 계십니다. 함께 협력하여 고객들에게 제휴카드의 혜택을 알려드리는 방법을 생각해보면 좋을 것 같네요."

홍보 담당자(당신)와 매장 분은 함께 고객들을 대상으로 제휴카드의 혜택과 특전을 소개하는 방안을 논의합니다. 여러 가지 아이디어를 나누며 효과적인 홍보 전략을 구상합니다. 행사 및 이벤트 개최: 매장 내부나 외부에서 제휴카드 신규 발급 시 특별 혜택을 제공하는 이벤트를 개최하여 관심을 유발합니다. 판촉물 및 선물 증정: 제휴카드 발급 시 실용적인 판촉물이나 특별 선물을 제공합니다.

제휴카드 혜택 설명: 매장 내부에 제휴카드의 혜택을 나열한 안내판을 설치하여 고객들에게 제휴카드의 다양한 혜택을 알리고 유인합니다.

개별 상담 및 가입 안내: 홍보 담당자(당신)가 매장 내에서 직접 고객들에게 접근하여 제휴카드에 대한 상담과 가입 안내를 진행합니다.

온라인 프로모션: 소셜 미디어나 우주백화점의 웹사이트를 활용하여 제휴카드의 혜택을 알리는 온라인 프로모션을 진행합니다. 홍보 담당자(당신)와 매장 분은 홍보 방법들을 조합하여 효율적인 전략을 구상합니다.

각 방안의 우위점과 예상 효과를 고려하여 최적의 홍보 계획을 수립합니다. 계획이 확정되면, 홍보 담당자(당신)와 매장 분은 고객들에게 제휴카드의 혜택을 알리기 위해 협력하여 활동을 시작합니다.

필요한 자료와 프로모션 아이템을 준비하고, 고객들과의 상호

작용을 통해 제휴카드 발급을 촉진합니다. 이와 같은 시나리오를 통해, 우주계백화점에서 제휴카드 홍보를 진행하고 카드가 없는 분들을 연결해주는 역할을 효과적으로 수행할 수 있을 것입니다.

-인공지능을 활용한 행동계획과 실행

계획 수립과 실행

매장 방문 준비: 우주백화점 내 매장 직원들을 만나기 전, 제휴카드의 혜택과 특징을 꼼꼼하게 숙지하고, 고객의 이익이 될 포인트를 중심으로 대화 전략을 세웠습니다.

인사와 상품 홍보: 매장을 방문할 때는 항상 밝은 미소와 친절한 인사로 분위기를 환기시켰으며, 상품의 이점을 자연스럽게 어필할 수 있는 대화를 나누었습니다.

협력의 제안: 매장 직원들에게 제휴카드의 가치를 설명하고, 고객에게 더 나은 서비스를 제공하기 위해 협력을 제안했습니다. 이를 통해 매장 직원들과의 긍정적인 관계를 구축할 수 있었습니다.

프로모션 계획: 제휴카드 발급 시 특별 혜택을 제공하는 프로모션을 기획하고, 매장 내부에서 이를 홍보할 수 있는 전략적 위치를 선정했습니다.

고객과의 상호작용: 직접 고객들에게 접근하여 친근하고 전문적인 상담을 통해 제휴카드에 대한 관심을 유도하고, 가입을 촉진하는 개인적인 상담 서비스를 제공했습니다.

효과적인 행동계획의 결과

이러한 체계적인 행동계획과 세심한 시나리오 준비는 제휴카드 발급률을 증가시키는 데 큰 도움이 되었습니다. 매장 직원들과의 협력을 통해 고객 연결의 효율성을 높였으며, 개별 상담을 통해 고객 만족도를 개선할 수 있었습니다. 또한, 온라인 마케팅 활동은 브랜드 인지도를 높이고, 제휴카드의 가치를 널리 알리는 데 기여했습니다.

계획된 시나리오를 바탕으로 한 마케팅과 세일즈 활동은 고객들에게 제휴카드의 혜택을 효과적으로 전달할 수 있는 기회를 제공했고, 우주백화점의 이미지를 긍정적으로 강화하는 데 기여했습니다.

이렇게 세밀하게 계획된 접근 방식은 마케팅과 세일즈 활동을 더욱 체계적이고 목표 지향적으로 만들었으며, 이는 결과적으로 제휴카드 발급 수와 매출 증가로 이어졌습니다. 뿐만 아니라, 매장 직원들과의 긍정적인 관계 구축은 향후 지속적인 협력의 기반이 되었고, 고객들에게는 더 나은 쇼핑 경험을 제공할 수 있었습니다.

무엇보다 중요한 것은 이러한 행동계획이 단기적인 성과에 그

치지 않고 장기적인 고객 관계 관리와 브랜드 충성도 향상에 기여한다는 점입니다. 이와 같은 전략적인 시나리오 기획은 백화점과 고객, 직원 모두에게 상호 이익이 되는 성공적인 마케팅 사례가 되었습니다.

User 프롬프트:

우주백화점 미래카드 혜택

우주백화점 브랜드 10% 결제일 할인

① 우주백화점 브랜드 : 우주백화점 입점매장, 플래그십스토어, 에스아이빌리지 온라인몰

② 할인기준 : 전월 이용금액대별 차등 할인 한도

50만원 이상 : 2만원

100만원 이상 : 4만원

150만원 이상 : 8만원

③ 발급월 + 1개월까지는 전월 이용금액 50만원 미만 시에도 50~100만원 미만 실적구간의 혜택 제공 (전월 이용금액 100만원 이상시에는 해당 실적 구간 서비스 제공)

④ 할인 제외 대상 : 무이자할부 / 미래카드 할인이 적용된 일시불 및 할부이용금액 / 기프트카드나 선불카드 구매 충전 / 상품권

우주백화점 1%, 2% 결제일 할인

① 전월 이용금액 관계없이 우주백화점 브랜드, 우주백화점 1%, 2% 결제일 할인

우주백화점 브랜드 : 우주백화점 입점매장, 플래그십스토어, 에스아이빌리지 온라인몰

우주백화점 : 오프라인 매장

② 할인기준 : 주중 1%, 주말(토,일) 2%

③ 할인한도 : 통합 월 3만원

④ 할인 제외 대상 : 무이자할부 / 미래카드 할인이 적용된 일시불 및 할부이용금액 / 기프트카드나 선불카드 구매 충전 / 상품권

→ 전월 실적이 없어도 기본 주중 1%, 주말 2% 할인혜택이 적용

스타벅스 20% 결제일 할인

① 이용조건

할인한도 : 월 5천원

전월 이용금액 50만원 이상시 제공

발급월 + 1개월까지는 전월 이용금액 없이도 혜택 제공

② 할인 제외 대상 : 무이자할부 / 미래카드 할인이 적용된 일시불 및 할부이용금액 / 기프트카드나 선불카드 구매 충전 / 상품권

온라인 간편결제 1% 결제일 할인

① 전월 이용금액에 관계없이, 할인한도 관계없이 온라인 간편결제 1% 결제일 할인

삼성페이, 네이버페이, 카카오페이, 페이코, 스마일페이, 쿠페이, SSGPAY, L.pay 결제건

② 할인 제외 대상 : 무이자할부, 미래카드 할인이 적용된 일시불 및 할부 이용금액, 건강보험/국민연금/고용보험/산재보험 및 장애인 고용부담금, 국세/지방세/공과금, 초·중·고등학교 학교납입금, 대학 등록금, 대중교통, 택시, 고속버스(차내 단말기 및 고속버스 앱 결제), 고속도로 통행요금, 부동산 임대료, 기프트/선불카드(포인트, 사이버머니 등 전자지급 수단 포함) 구매 및 충전, 상품권 구매, 문자알림서비스, 스마트오토서비스 이용금액

해외 1.5% 결제일 할인

① 전월 이용금액 관계없이 해외 1.5% 결제일 할인

대상점 : 해외 가맹점 및 해외 직접구매 이용건

② 이용조건 : 할인한도 통합 월 50만원

③ 할인 제외 대상 : 무이자할부, 미래카드 할인이 적용된 일시불 및 할부 이용금액, 기프트/선불카드(포인트, 사이버머니 등 전자지급수단 포함) 구매 및 충전, 상품권 구매건

우주백화점 5% 할인쿠폰 월 최대 6매 적용, 무료 주차권 2매

너는 미래카드 신입사원을 위한 교육영상을 제작할꺼야. 고객과 설계사가 우주백화점 미래카드센타에서 직접 만나서 대화하는 상황극 형식으로 시나리오 작성해줘.

ChatGPT:

[시나리오]

(고객이 미래플러스카드센타에 들어옴)

고객: 안녕하세요, 저는 미래플러스카드에 대해 궁금한 것이 있어서요.

설계사: 안녕하세요! 어떤 것을 도와드릴까요?

고객: 미래플러스카드의 주요 혜택에 대해 알고 싶어요.

설계사: 알겠습니다! 가장 큰 혜택 중 하나는 우주백화점 브랜드에서 최대 10% 결제일 할인을 받을 수 있다는 것입니다. 할인은 전월 이용금액에 따라 차등 적용되며, 발급월에 따른 추가 혜택도 있습니다. 한 가지 유의할 점은 어떤 경우에는 할인이 적용되지 않을 수 있다는 것이죠.

고객: 그렇군요. 다른 혜택도 있나요?

설계사: 네, 우주백화점 브랜드와 미래플러스카드에서의 결제에는 주중에는 1%, 주말에는 2% 할인을 받을 수 있습니다. 주중과 주말의 구분에 따라 할인이 적용되는 것이죠. 할인의 총 한도는 월 3만원입니다.

고객: 스타벅스에서도 혜택을 받을 수 있나요?

설계사: 스타벅스에서는 20% 결제일 할인을 받을 수 있습니다. 혜택은 전월 이용금액 50만원 이상 시에 제공되며, 할인 한도는 월 5천원입니다. 발급월 + 1개월까지는 전월 이용금액이 없어도 혜택을 받을 수 있습니다.

고객: 온라인 간편결제와 해외 사용에 관한 혜택도 있나요?

설계사: 온라인 간편결제에서는 1% 결제일 할인을 받을 수 있으며, 한도 없이 적용됩니다. 해외 사용에 대해서는 전월 이용금액에 관계없이 1.5% 결제일 할인을 받을 수 있습니다. 해외 한도는 통합 월 50만원입니다.

고객: 그럼 쿠폰이나 주차권 같은 추가 혜택도 있나요?

설계사: 네, 우주백화점에서는 5% 할인쿠폰을 월 최대 6매까지 적용할 수 있고, 무료 주차권도 2매를 제공합니다.

고객: 자세한 설명 감사합니다! 이 카드에 대해 더 알게 되어 도움이 되었어요.

설계사: 기뻐 들었습니다! 혹시 더 궁금한 점이 있으시면 언제든지 편하게 문의해주세요!

(고객이 미래플러스카드 신청서를 작성하며 시나리오 종료)

User 프롬프트:

고객이 설계사가 말한 혜택을 받고 흐뭇하게 미소지으며 카드를 발급받고 설계사는 고객에게 혜택을 드리고 카드발급에 도움을 드릴 수 있어서 감사한 마음으로 인사를 나누는 장면으로 마무리해줘

[시나리오]

(고객이 설계사가 말한 혜택을 받고 흐뭇하게 미소를 지으며 카드를 발급받음)

고객: (흐뭇한 미소로) 감사합니다, 이 모든 혜택이 정말 놀라워요. 미래플러스카드 발급해 주시겠어요?

설계사: 물론이죠! (카드 발급 절차를 시작하면서) 여기 신청서를 작성해주시고, 필요한 서류를 제출해주시면 미래플러스카드를 발급해드리겠습니다.

(고객이 카드 발급 절차를 따라가며 설계사가 도와줌)

고객: (카드를 받으면서) 감사합니다, 정말로 도움이 많이 되었어요.

설계사: 제게 도움을 줄 기회를 주셔서 감사합니다. 이제 미래 플러스카드를 통해 다양한 혜택을 누리실 수 있을 거예요.

고객: 네, 정말 기대되네요.

설계사: 언제든지 미래플러스카드와 관련하여 궁금한 점이 있으시면 언제든지 문의해주세요. 저는 항상 여기 있어 도움을 드릴 준비가 되어 있습니다.

(고객과 설계사가 감사한 마음으로 인사를 나누며 시나리오 마무리)

인공지능의 힘을 빌려 특정 카드의 유치 전략을 세우는 과정은 마치 미래의 성공을 위한 청사진을 그리는 것과 같았습니다. ChatGPT를 활용하여 만들어진 시나리오와 VREW의 인공지능 편집 프로그램으로 구현된 교육 영상을 통해 실제와 같은 대화의 흐름을 체험할 수 있게 해주었습니다. 이 영상을 반복해 시청함으로써, 저는 마치 실전에서 카드를 유치하는 것처럼 연습할 수 있었습니다. 이 과정이 단순한 연습이 아니라, 성공적인 카드 유치를 위한 잠재의식 속 심리적 훈련이 되었습니다. 카드 유치의 성공은 단순히 숫자의 증가가 아니라, 나의 성장과 발전의 증거가 되었고, 인공지능을 활용한 이러한 훈련 방법은 앞으로의 다양한 도전에서도 큰 자산이 될 것입니다.

이렇게 인공지능은 나의 능력을 확장시켜 줄 뿐만 아니라, 새로운 가능성의 문을 열어주는 열쇠가 되었습니다. 실제 상황에서도 이러한 준비와 훈련이 큰 힘이 되어, 자신감을 가지고 고객을 설득하고, 카드 유치를 성공적으로 이끌어낼 수 있었습니다. 기술의 발전이 개인의 잠재력을 깨우는 데 얼마나 큰 영향을 미칠 수 있는지 직접 경험한 것이죠. 이제 인공지능은 단순한 도구를 넘어, 나의 꿈과 목표 달성을 위한 동반자가 되었습니다.

- 인공지능을 활용해 마케팅 활용하기

우주백화점 A카드에서 진행하는 마케팅 캠페인은 인공지능을 활용한 타겟 설정으로, 이 캠페인의 핵심은 고객 데이터와 구매 패턴을 분석하여 가장 적합한 타겟 고객군을 정확하게 식별하는 것이었습니다.

인공지능 시스템은 우주백화점에서 수집된 고객 데이터를 분석하여, A카드를 발급받고 활발하게 사용하는 고객 세그먼트를 파악했습니다. 이 데이터에는 고객의 구매 이력, 선호하는 상품 카테고리, 지출 패턴 등이 포함되어 있었습니다.
이를 통해 우리는 4월에 A카드를 발급받은 고객들이 이번 이벤트에 가장 관심을 가질 것으로 예측했습니다.
이번 캠페인의 핵심 전략은 사전 문자동의를 한 고객들에게만 이벤트 관련 문자를 발송하는 것이었습니다. 인공지능 시스템은

이 고객들의 응답률과 구매 경향을 분석하여, 메시지의 내용과 타이밍을 최적화했습니다.

결과적으로, 이 메시지를 통해 고객들의 관심을 끌고 적극적인 참여를 유도하는데 큰 성공을 거두었습니다.

또한, 인공지능은 이벤트의 효과를 실시간으로 분석하여 필요한 경우 캠페인 전략을 신속하게 조정할 수 있도록 지원했습니다. 이러한 신속한 조정 덕분에 캠페인은 더욱 효과적으로 진행될 수 있었습니다

이 캠페인을 통해 우주백화점 A카드는 매출 증대는 물론, 고객 충성도를 높이는 데도 크게 기여했습니다. 인공지능 기반의 타겟 마케팅은 우주백화점의 마케팅 전략에 있어서 중요한 전환점이 되었습니다.

User 프롬프트:

"4월에 A카드를 만든 고객이고 이 내용을 문자로 동의한 고객이 4월 24일부터 4월30일 기간에 모든 가맹점에서 1만원이상 쓴 영수증을 문자로 30일까지 보내주면 1천원을 캐시백해 주는 이벤트 안내문자를 보내려고 하는데 보기 쉽게 만들어줘.

마지막에 이 문자는 사전동의를 받은 고객한테만 발송한다는 것을 꼭 알려줘"

ChatGPT:

[우주백화점 A카드 이벤트 안내]

안녕하세요, 우주백화점 A카드입니다. 4월에 카드를 발급해주신 고객님들께 감사의 인사를 드립니다.

특별한 기회를 드립니다! 모든 가맹점에서 1만원 이상 사용하시면 1천원 캐시백 혜택을 드립니다.

이벤트 기간: 4월 24일부터 4월 30일까지

참여 방법: 이벤트 기간 내, 1만원 이상 결제 후, 영수증을 문자로 30일 이내에 보내주세요.

중요 안내: 이 이벤트 안내 문자는 사전에 문자동의를 해주신 고객님들께만 발송되었습니다. 아직 문자동의를 하지 않으셨다면, 아래 링크를 통해 동의해 주시기 바랍니다.

문자동의를 해주신 후에야 이벤트 참여가 가능합니다.

캐시백 혜택을 놓치지 마세요! 이번 기회에 푸짐한 혜택을 누리시길 바랍니다. 감사합니다.

제휴카드 영업에 활용한 전략적인 문자 메시지 마케팅은 큰 성공을 거두었습니다. 제가 담당하는 우주백화점 제휴카드 고객들을 대상으로 4월에 진행된 캐시백 이벤트 안내를 위해, 문자 메시지를 통한 효과적인 소통 방안을 마련했습니다.

이 이벤트는 4월에 카드를 만든 고객들에 한정되었으며, 특정 기간 동안 가맹점에서 1만 원 상당을 사용한 영수증을 문자로 보내면 1천원을 캐시백 해주는 내용을 포함하고 있었습니다. 이 메시지는 고객들의 눈길을 끌고, 참여를 유도하는 방식으로 깔끔하고 분명하게 작성되었습니다.

문자 메시지는 고객들이 쉽게 이해하고, 참여 방법을 명확히 알 수 있도록 다음과 같이 간결하면서도 상세한 정보를 담아 보내졌습니다:

"안녕하세요, 우주백화점 A카드 사용자님! 4월 24일부터 30일까지 가맹점에서 1만 원 이상 사용하신 영수증을 보내주시면 캐시백 1천원을 즉시 드립니다. 영수증은 4월 30일까지만 인정되오니 서두르세요! *본 문자는 사전 동의를 받은 고객님께만 발송되는 안내입니다."

이러한 전략적인 접근은 고객들에게 우주백화점A카드 카드의 가치를 재확인시켜 주었고, 신속한 영업 실행으로 이어졌습니다. 고객들의 반응은 빠르게 나타났고, 많은 분들이 캐시백 이벤트에 적극적으로 참여하여 영업 성과는 기대 이상이었습니다.

더욱이, 이 문자 메시지는 사전 동의를 받은 고객에게만 발송되어 개인정보 보호 및 맞춤형 마케팅의 중요성을 강조했습니다. 고객의 신뢰를 바탕으로 한 마케팅 활동은 고객 만족도를 높이고, 장기적인 고객 관계를 구축하는 데 중요한 역할을 했습니다.

4장.
긍정 마인드셋과 시각화 기법

우주계백화점의 제휴카드 설계사로 일하는 저는, 고객들이 통신요금, 도시가스요금, 전기요금, 4대 보험료를 카드로 납부하도록 유도하는 중요한 임무를 맡고 있습니다.

이를 성공적으로 수행하기 위해, 확언과 시각화 기법을 활용하여 성공 마인드를 장착했습니다.

User 프롬프트 :

나는 우주백화점 A카드 제휴카드 컨설턴트로 일해.

고객이 통신요금, 도시가스요금, 전기요금, 4대보험을 제휴카드로 납부하도록 설득해야 하는데 생활요금 유치를 잘 할 수 있는 확언과 시각화 알려줘.

ChatGPT:

고객들이 통신요금, 도시가스요금, 전기요금, 4대보험을 카드로 납부하도록 유치하는데 도움이 될 수 있는 몇 가지 확언과 시각화 방법을 알려드리겠습니다.

혜택 강조하기: 우주백화점 제휴카드를 사용하여 생활요금을 납부하면 많은 혜택을 받을 수 있다는 점을 강조해주세요. 예

를 들어, 카드 사용 시 적립금이나 마일리지를 쌓을 수 있고,

특정 금액 이상 사용 시 추가적인 할인 혜택을 제공한다는 점을 알려주세요.

편의성 강조하기 : 제휴 카드를 이용하여 생활요금을 납부하면 고객들이 여러 개의 요금서를 따로 관리할 필요 없이 한 곳에서 통합적으로 관리할 수 있다는 점을 강조해주세요.

예를 들어, 카드 결제 내역을 한 눈에 확인할 수 있는 모바일 앱이나 웹 서비스를 제공한다는 것을 설명해주세요.

안전성 강조하기: 카드를 이용한 납부는 현금으로의 결제보다 안전하다는 점을 강조해주세요.

예를 들어, 카드 결제 시 신용카드 회사의 보안 시스템이 적용되어 있어 개인정보 유출 우려가 적다는 것을 설명해주세요.

사용 가이드 제공하기: 고객들이 생활요금을 카드로 납부하는 방법을 상세히 안내해주세요. 이를 위해 간단하고 명확한 사용 가이드를 작성하거나 동영상으로 제공할 수 있습니다. 예를 들어, 각 생활요금 납부처의 카드 결제 방법, 결제일 및 마감일 등을 설명하는 가이드를 제공해주세요.

시각화 도구 활용하기: 그래프나 차트 등의 시각화 도구를 활용하여 고객들의 생활요금 사용 패턴이나 누적 결제액을 보여

줄 수 있습니다.

이를 통해 고객들이 얼마나 많은 생활요금을 카드로 결제하고 얼마나 많은 혜택을 받았는지를 한 눈에 확인할 수 있습니다.

ChatGPT

당신이 생활요금을 유치하고 고객이 카드로 생활요금을 내는 모습을 시각화 하는 명상을 해보세요.

1. 편안한 자세로 앉아주세요. 척추를 펴고 몸을 편안하게 느끼는 자세를 취해주세요. 마음과 몸이 편안한 상태에서 시작합니다.

2. 깊이 숨을 들이마시고 천천히 내쉬면서 긴장을 풀어주세요. 들이마시는 동안 긍정적인 에너지를 받아들이고, 내쉬는 동안에는 스트레스와 불필요한 걱정을 놓쳐버립니다.

3. 이제 당신의 상상력을 발휘해보세요. 생활요금을 유치하는 모습을 생생하게 상상해보세요. 자신의 성공적인 생활요금 유치를 시각화 합니다.

4. 생활요금을 내는 고객들의 모습을 상상해보세요. 고객들이 카드를 사용하여 생활요금을 결제하는 모습을 생생하게 상상해보세요. 그들이 자신의 카드로 각자의 요금을 쉽고 빠르게 납부하는 모습을 상상합니다.

5. 생활요금을 유치하는 과정에서 느끼는 긍정적인 감정을 상

상해보세요. 자신이 생활요금을 유치하는 데에 성공하고, 고객들이 만족하며 카드로 생활요금을 내는 모습을 상상합니다. 자신의 자부심과 만족감, 그리고 고객들의 감사와 신뢰를 느껴보세요.

6. 몇 분 동안 이 시각화 명상을 지속하세요. 생활요금을 유치하는 성공적인 모습과 고객들이 카드로 결제하는 모습을 상상하며 긍정적인 감정과 에너지를 담아내세요. 이 시각화 명상을 자주 실천하면서 생활요금을 유치하고 고객들이 카드로 생활요금을 내는 모습을 상상함으로써 자신의 자신감과 목표 달성에 대한 희망을 강화할 수 있을 것입니다.

"나는 생활요금을 유치하고 고객들이 카드로 결제하는 과정에서 상호 이익을 극대화하는 전략과 노력을 기울입니다."

"고객들은 내 카드로 생활요금을 납부함으로써 신속하고 안전한 결제를 경험하며, 나는 그들의 신뢰와 만족을 지속적으로 쌓아갑니다."

"생활요금을 유치함으로써 나는 고객들에게 편의와 혜택을 제공하고, 그들은 내 카드로 손쉽게 요금을 결제하는 모습에 만족합니다."

"나는 생활요금을 유치하는 과정에서 고객들에게 친절하고 전문적인 서비스를 제공하며, 그들은 내 카드를 믿고 편안하게 결제합니다."

"고객들은 내가 제공하는 카드로 생활요금을 결제함으로써 효율성과 편리함을 느끼고, 나는 그들의 요구를 충족시키는 데에 자부심을 가집니다."

"생활요금을 유치하고 고객들이 내 카드를 사용하여 결제하는 모습을 상상함으로써 나는 끊임없는 혁신과 발전을 이루어 나갑니다."

"고객들은 내 카드로 생활요금을 내는 것을 선택함으로써 경제적인 혜택을 누리고, 나는 그들의 경제적 안정을 도모합니다."

"나는 생활요금을 유치함으로써 고객들이 카드 결제의 편리함과 보안성을 체감하고, 그들은 내 카드를 신뢰하고 사용합니다."

"고객들은 내가 제공하는 카드로 생활요금을 결제함으로써 신속하고 간편한 금융거래를 경험하며, 나는 그들의 편의를 위해 노력합니다."

"생활요금을 유치하고 고객들이 내 카드를 통해 결제하는 과정은 상호 협력과 만족을 통해 지속적인 성공으로 이어집니다."

위의 확언들을 자주 반복하면서 생활요금 유치와 고객이 카드로 결제하는 모습에 대한 긍정적인 에너지와 자신감을 강화해 보세요.

-인공지능을 활용한 마인드셋 기르기

확언을 통한 마인드셋 구축

성공적으로 생활요금을 유치하기 위해 매일 아침, 거울 앞에서 자신감을 가지고 다음과 같은 확언을 반복했습니다.

"나는 고객들에게 큰 혜택을 제공하는 제휴카드를 소개하는 전문가입니다. 고객들은 나의 카드를 사용하여 생활 요금을 납부함으로써 더 큰 편리함과 경제적 이익을 얻습니다."

또한 고객과의 만남 전에, 다음과 같이 마음속으로 되새기며 확언했습니다.

"나는 고객들이 생활 요금을 효과적으로 관리할 수 있도록 돕는 신뢰할 수 있는 안내자입니다. 나의 카드를 통해 그들의 일상이 더욱 편리해질 것입니다."

마지막으로 일과를 마치며, 다음과 같은 긍정적인 확언으로 하루를 정리했습니다.

"오늘 나는 많은 고객들이 생활 요금을 카드로 납부할 수 있도록 도왔습니다. 내가 제공하는 서비스는 많은 이들의 삶에 긍정적인 변화를 가져옵니다."

이렇게 긍정확언을 통해 성공 마인드를 길러 생활요금 유치를 잘 하는 것은 당연한 것이라는 믿음을 갖게 되었습니다.

시각화를 통한 목표 달성

고객들이 우주백화점의 제휴카드를 사용해 요금을 납부하는 모습을 생생하게 시각화 합니다. 고객들이 카드로 결제를 완료하고, 만족스러운 표정으로 서비스의 혜택을 누리는 모습을 상상합니다.

제휴카드를 통해 통신요금, 도시가스요금, 전기요금, 4대 보험료를 납부하며 쌓이는 포인트나 마일리지, 할인 혜택들을 그래프나 차트로 시각화 합니다. 이는 고객들이 어떻게 혜택을 누리는지를 명확하게 보여주는 도구로 활용됩니다.

매장 내에서 제휴카드 홍보를 할 때, 고객들이 카드 결제를 통해 얻는 혜택을 설명하는 포스터나 안내 자료를 시각적으로 표현하여 사용합니다. 이는 고객들이 제휴카드의 가치를 더 쉽게 이해하고, 관심을 가질 수 있도록 합니다.

이러한 확언과 시각화 기법을 통해, 저는 제휴카드 발급률을 높이고, 고객 만족도를 개선하는 데 큰 성공을 거두었습니다. 저의 자신감과 긍정적인 태도는 고객들에게 신뢰를 줄 뿐만 아니라, 그들이 제휴카드를 통해 생활 요금을 납부하도록 유도하는 데 결정적인 역할을 했습니다. 제가 세운 성공 시나리오는 다음과 같은 현실적인 행동으로 이어졌습니다.

행동계획 수립과 실행

시나리오에 따른 매장 방문: 저는 매장을 방문하기 전에 제휴 카드의 모든 혜택과 사용 방법을 숙지했습니다. 이를 통해 고객에게 정확하고 유익한 정보를 제공할 수 있었습니다.

혜택과 편의성 강조: 매장 직원과 고객에게 제휴카드를 사용하여 생활요금을 납부할 때 얻을 수 있는 적립금, 마일리지, 할인 혜택을 명확히 설명했습니다. 특히, 모든 요금을 한 번에 관리할 수 있는 편의성을 강조하여 고객의 관심을 끌었습니다.

안전성과 사용 가이드 제공: 카드 결제의 안전성을 강조하며, 고객들이 쉽게 생활요금을 납부할 수 있도록 자세한 안내서와 동영상 가이드를 제작하여 제공했습니다.

시각화 도구 활용: 제휴카드 사용에 따른 경제적 이점을 시각적으로 보여주기 위해, 그래프와 차트를 활용해 고객들의 생활요금 사용 패턴과 누적 결제액을 나타냈습니다. 이를 통해 고객들은 어떻게 혜택을 누리고 있는지 한눈에 파악할 수 있었습니다.

이 같은 노력 끝에, 우주백화점의 제휴카드는 고객들 사이에서 '생활요금 납부에 최적화된 카드'로 인식되기 시작했습니다. 저는 이 시나리오를 통해 세운 마케팅 전략을 성공적으로 실행하여, 많은 고객들이 생활요금을 카드로 납부하도록 유도했습니다. 이 과정에서 제 마인드셋은 더욱 긍정적으로 변화했으며, 이는 세일즈 활동에 있어 자신감과 능률을 높이는 중요한 요소가 되었습니다.

5장.
유튜브 채널 기획 및 콘텐츠 제작

3년 동안 유튜브 채널을 시작하고자 하는 생각만 하고 있었지만, 실행에 옮기지 못했던 저는 결국 인공지능의 도움을 받아 유튜브 채널을 시작할 수 있었습니다. 인공지능을 활용하여 대본을 작성하고, 인공지능이 생성한 영상과 인공지능 성우를 사용함으로써 드디어 제 꿈을 실현할 수 있었습니다.

처음에는 대본 작성부터 막막했습니다. 어떻게 콘텐츠를 구성하고, 어떤 내용을 담아야 할지 고민이 많았죠. 하지만 인공지능은 이러한 고민을 해결해주었습니다. 인공지능은 제가 원하는 주제와 스타일에 맞추어 효과적이고 매력적인 대본을 작성해주었고, 이를 통해 제 생각과 아이디어가 현실로 구현되기 시작했습니다.

대본이 완성되고 나서는 영상 제작에 착수했습니다. 인공지능 기반의 영상 생성 도구를 사용하여, 제가 상상한 장면들을 시각적으로 구현할 수 있었습니다. 이러한 과정을 통해, 저는 기술적인 제약 없이 창의력을 발휘할 수 있었고, 보다 전문적이고 매력적인 영상 콘텐츠를 제작할 수 있었습니다.

마지막으로, 인공지능 성우를 사용하여 영상에 목소리를 더했습니다. 인공지능 성우는 자연스럽고 감정이 담긴 목소리로 내용을 전달해주었고, 이를 통해 영상의 질을 높일 수 있었습니다. 인공지능 성우 덕분에 제 영상은 더욱 전문적이고 생동감 있는 분위기를 가질 수 있었습니다.

이렇게 인공지능의 도움으로 대본 작성부터 영상 제작, 성우까지 모든 과정을 진행하며, 저는 드디어 유튜브 채널을 시작할 수 있었습니다. 이 채널을 통해 저는 제 생각과 지식을 세상과 공유하고, 많은 사람들과 소통하는 즐거움을 경험하고 있습니다. 인공지능은 제가 오랫동안 꿈꿔왔던 유튜브 채널을 현실로 만드는 데 결정적인 역할을 해주었습니다.

User 프롬프트 : *잠재의식과 관련해 유튜브 채널을 만들고 싶은데 기획해줘.*

ChatGPT :

잠재의식과 관련된 유튜브 채널을 만들 계획을 짜는 것은 매우 흥미로운 아이디어입니다.

채널을 성공적으로 운영하기 위해서는 다양한 요소를 고려해야 합니다. 여기 몇 가지 제안을 드릴게요.

채널 목적 및 타겟 관객 정의: 먼저, 채널이 전달하고자 하는 메시지와 타겟 관객을 명확히 정의하세요. 예를 들어, 잠재의식 개선을 위한 실용적인 조언을 제공할 것인지, 아니면 잠재의식

의 과학적 이해에 초점을 맞출 것인지 결정합니다.

콘텐츠 기획: 교육적 콘텐츠: 잠재의식의 작동 원리, 명상 및 긍정적 사고와 같은 주제에 대한 교육적 내용을 제공할 수 있습니다.

실용적인 팁: 시청자들이 자신의 잠재의식을 개선하고 긍정적인 변화를 만들 수 있는 실용적인 방법을 공유하세요. 인터뷰 및 사례 연구: 전문가 인터뷰, 성공 사례, 실제 사례 연구를 통해 내용의 신뢰성을 높일 수 있습니다. 시각적 및 청각적 요소: 품질 높은 비디오 및 오디오: 시청자들이 콘텐츠에 쉽게 몰입할 수 있도록 고품질의 비디오와 오디오를 제공해야 합니다.

애니메이션과 그래픽: 복잡한 개념을 설명할 때 애니메이션과 그래픽을 사용하여 이해를 돕습니다. 정기적인 업로드 및 홍보: 일관된 업로드 일정: 정기적인 업로드는 구독자 기반을 구축하는 데 중요합니다. 소셜 미디어 및 커뮤니티 참여: 다른 플랫폼에서 채널을 홍보하고, 관련 커뮤니티에 참여하여 시청자층을 확장하세요.

피드백과 적응: 시청자 피드백: 시청자의 의견을 듣고 콘텐츠를 지속적으로 개선합니다. 이러한 요소들을 기반으로 채널을 구축하고, 꾸준히 발전시켜 나간다면 잠재의식과 관련된 흥미로운 콘텐츠를 제공하는 성공적인 유튜브 채널을 만들 수 있을 것입니다.

User 프롬프트: 잠자면서 부자가 되는 긍정확언 유튜브 쇼츠 영상 대본 작성해줘

ChatGPT

유튜브 쇼츠 영상 대본은 다음과 같은 요소들을 포함할 수 있습니다:

소개: 잠자는 동안 부자가 되는 법에 대한 간단한 소개.

긍정확언: 부와 성공을 끌어들이는 긍정적인 확언들을 나열.

시각화: 시청자들이 부를 상상하게 하는 질문이나 지시사항.

배경음악: 진정되고 긍정적인 분위기를 조성하는 음악.

마무리: 시청자들에게 긍정확언을 실천하도록 독려하는 메시지.

이러한 요소를 바탕으로 대본을 작성해보겠습니다:

안녕하세요! 오늘은 여러분이 잠자는 동안에도 부를 끌어들일 수 있는 긍정확언을 알려드리려고 해요.

[부드러운 음악 시작]

"나는 잠든 사이에도 부와 성공을 끌어당긴다."

"나의 수면은 나의 부를 증가시키는 시간이다."

"나는 매일 아침 부자로 깨어난다."

"나의 꿈은 나에게 풍요로움과 기회를 가져다준다."

이제, 눈을 감고 깊게 호흡하세요. 자신이 원하는 부와 성공을 마음속에 그려보세요.

[음악 볼륨 증가]

잠들기 전 이 확언들을 세 번 반복하며, 자신의 내면에 깊이 새겨 넣으세요.

감사합니다. 여러분의 밤이 부와 풍요로움으로 가득 차길 바랍니다.

이 대본은 시청자들이 긍정적인 생각을 갖고 잠들도록 도와주며, 잠자는 동안에도 긍정적인 에너지를 유지할 수 있도록 설계되었습니다.

User 프롬프트: 조셉머피 확언으로 만들어줘

ChatGPT

조셉 머피 박사는 '잠재의식의 힘'을 주제로 한 그의 저서를 통해 많은 사람들에게 영감을 주었습니다. 그의 이론을 바탕으로 잠자면서 부를 끌어당기는 긍정확언을 만들어보겠습니다:

[소개]

여러분의 잠재의식은 강력합니다. 오늘 밤, 우리는 조셉 머피 박사의 가르침을 따라 잠재의식으로 부를 끌어들이는 여정을 시작할 것입니다.

[음악 시작: 부드럽고 명상적인 멜로디]

"나의 잠재의식은 부와 성공으로 가득 차 있다."

"내가 잠들 때, 나의 잠재의식은 나의 부의 꿈을 실현한다."

"나는 잠재의식의 힘으로 매일 더 큰 풍요를 경험한다."

"나의 마음은 자연스럽게 부와 기회를 나에게 끌어당긴다."

[시각화]

이제 눈을 감고 깊게 호흡하며 잠재의식이 이 확언들을 흡수하도록 허용하세요. 잠재의식이 여러분의 삶에 풍요와 번영을 가져다주는 모습을 상상해보세요.

[음악 볼륨 증가]

밤새도록 이 확언들을 마음속으로 되풀이하며, 꿈 속에서도 여러분의 잠재의식이 이를 실현하도록 하세요.

[마무리]

자, 여러분의 잠재의식에 힘을 불어넣으세요. 꿈과 함께 부를 끌어당기는 여정에 올라탑니다. 좋은 밤 되세요.

이러한 긍정확언은 조셉 머피의 가르침을 반영하여 여러분이 잠자는 동안에도 부를 끌어당길 수 있도록 돕습니다.

인공지능의 도움을 받아서 만든 '지니어스리치' 유튜브 채널

User 프롬프트: *화가 날때 하는 명상가이드 유튜브 영상 60초 짜리로 만들어줘.*

ChatGPT

화가 날 때를 위한 60초 분량의 명상 가이드를 YouTube 동영 상으로 만들려면 간결하고 효과적인 대본을 작성해야 합니다. 다음은 추천 스크립트입니다:

[0~5초: 인트로]

부드러운 배경 음악이 시작됩니다.

텍스트 또는 차분한 목소리로 "분노 완화를 위한 60초 명상"이 라고 말합니다.

[5-15초: 분노 인정하기].

음성: "눈을 감으세요. 심호흡을 하세요. 판단하지 말고 분노를

인정하세요.

[15-25초: 심호흡] 음성
음성: "4초 동안 심호흡하세요."
풍선과 같이 오르락내리락하는 물체를 시각적으로 보여주며 호흡을 유도합니다.
음성: "6초 동안 천천히 숨을 내쉬세요. 숨을 내쉴 때마다 몸이 이완되는 것을 느껴보세요."

[25~35초: 평온함 시각화]
음성: "고요하고 평화로운 장소를 상상하세요. 해변, 숲 등 마음이 편안해지는 곳이면 어디든 좋습니다."
설명과 일치하는 고요한 이미지를 표시합니다.
[35-45초: 분노 해소] 음성
음성: "분노가 어두운 구름이라고 상상하세요. 숨을 쉴 때마다 그것이 사라지고 평화로 대체되는 것을 지켜보세요."
어두운 구름에서 맑은 하늘로 시각적으로 전환됩니다.

[45-55초: 현재로 돌아가기] 음성
음성: "의식을 현재로 부드럽게 돌아오세요."
눈을 천천히 뜨라는 시각적 신호.

ChatGPT

[55-60초: 종료]
음성: "이 평온함을 간직하세요. 준비가 되면 눈을 뜨세요."

음악을 페이드아웃합니다.

User 프롬프트: 내 생각이 틀릴수 있다는 내용을 첨부해서 작성해줘

ChatGPT

물론이죠! 자신의 생각이나 의견이 틀릴 수 있다는 메시지를 포함하려면 열린 마음과 자기 성찰을 장려하는 방식으로 메시지를 전달하는 것이 중요합니다. 이 개념을 YouTube용 60초 명상 가이드에 통합하는 방법은 다음과 같습니다:

[0~5초: 인트로]
부드럽고 차분한 배경 음악이 시작됩니다.
텍스트 또는 부드러운 목소리로 "개방성과 평온함을 위한 60초 명상"이라고 말합니다.

[5-15초: 생각과 감정 인정하기] 단계
음성: "눈을 감으세요. 심호흡을 하세요. 자신의 감정과 생각이 항상 옳고 그른 것은 아니라는 것을 알고 인식하세요."

[15-25초: 마음을 열기 위한 심호흡] 음성
음성: "4초 동안 깊게 숨을 들이마시면서 개방성과 이해심을 불러일으키세요."
부드럽게 펼쳐지는 빛이나 지평선을 시각적으로 보여줍니다.
음성: "6초 동안 천천히 숨을 내쉬며 확신과 판단을 내려놓으세요."

음성: "구불구불하고 알 수 없는 앞길을 상상해 보세요. 우리의 생각과 신념이 변화하고 성장할 수 있다는 것을 받아들이세요."
여행과 변화를 상징하는 단순하고 평화로운 길을 보여줍니다.

[35-45초: 다양한 관점 고려하기]
음성: "숨을 쉴 때마다 새로운 눈으로 세상을 바라보는 것처럼 다양한 관점을 생각해 보세요."

[45-55초: 열린 마음으로 돌아가기]
음성: "열린 마음과 우리의 이해가 발전할 수 있다는 가능성을 품고 돌아올 준비를 하세요."
명상 상태에서 천천히 벗어나기 시작하라는 시각적 신호.

[55-60초: 종료]
음성: "열린 마음과 정신으로 하루를 받아들이세요. 준비가 되면 눈을 뜨세요."

이 스크립트는 시청자가 생각과 의견의 유동성을 인식하도록 부드럽게 안내하여 변화와 다양한 관점에 열려 있는 사고방식을 장려하도록 고안되었습니다. 핵심은 동영상 전체에 걸쳐 차분하고 비판적이지 않은 어조를 유지하는 것입니다.

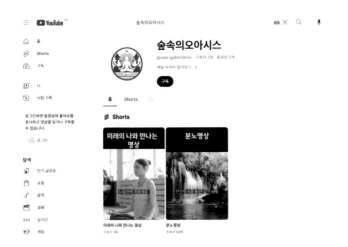

인공지능의 도움을 받아 만든 두번째 유튜브 채널 '숲속의 오아시스'

-인공지능을 활용한 콘텐츠 제작 실행

인공지능을 활용하여 제작한 영상은 최고의 퀄리티를 자랑하지는 않지만, 초보자가 쉽게 영상을 만들 수 있도록 하는 데 큰 도움이 되었습니다. 이러한 점은 특히 영상 제작에 대한 경험이 부족하거나 시작을 망설이는 사람들에게 매우 유용했습니다.

인공지능은 제가 가진 아이디어를 현실화하는 데 필요한 기술적 지원을 제공했습니다. 대본 작성부터 영상 편집까지, 인공지능은 제가 가진 생각을 영상으로 구현하는 데 필요한 과정을 단순화하고 손쉽게 만들어주었습니다. 이를 통해 저는 복잡한 영상 제작 기술을 따로 배우지 않고도 제 콘텐츠를 시각적으로 표현할 수 있었습니다.

물론, 인공지능으로 만든 영상이 전문가 수준의 퀄리티를 갖추지는 못했습니다. 하지만 이는 영상 제작에 처음 발을 딛는 사람들에게는 큰 장벽이 될 수 있는 고도의 기술적 요구사항을 낮추는 데 큰 도움이 되었습니다. 인공지능의 도움으로 저는 기술적인 부담 없이 창의적인 아이디어를 실현할 수 있었고, 이를 통해 유튜브 채널을 시작하는 데 필요한 용기를 얻을 수 있었습니다.

따라서, 인공지능을 활용한 영상 제작은 초보자들이 영상 제작의 첫걸음을 떼는 데 매우 유용한 도구라고 할 수 있습니다. 이러한 방식은 영상 제작에 대한 두려움이나 망설임을 줄이고, 누구나 쉽게 자신의 생각과 아이디어를 영상으로 표현할 수 있게 해주고 유튜브를 시작할 수 있게 도와줍니다.

6장.
꿈의 시각화 - 인공지능과 함께 그리는 성공의 이미지

저는 오랜 시간 동안 답답한 현실에 갇혀 있었습니다. 하지만 인공지능을 활용한 그림 그리기를 통해 그 감옥에서 벗어나기 시작했습니다. 이 기술은 저에게 현실의 제약에서 벗어나 내면의 감정을 자유롭게 표현할 수 있게 해주었습니다.

인공지능을 활용해 그림을 그리기 시작하며 제 감정, 생각, 꿈을 캔버스에 옮겨 놓았고, 이는 저에게 큰 정서적 해소를 가져다 주었습니다. 인공지능은 제 생각을 읽고, 제가 표현하고자 하는 바를 시각적으로 구현하는 데 도움을 주었습니다.

미래의 성공한 저를 그리며 인공지능과의 대화를 통해 제 꿈과 목표를 구체화했고, 그것을 그림으로 표현했습니다. 이 과정에서 저는 자신감을 얻었고, 제 현재 상황을 극복하기 위한 동기를 부여 받았습니다.

그림을 그리면서 저는 제 안에 숨어있던 잠재력을 발견했습니다. 이를 통해 새로운 가능성에 도전하는 용기를 얻었고, 긍정적인 미래를 설계하기 시작했습니다. 제가 그린 미래의 모습은 저에게 구체적인 목표와 계획을 세우는 데 도움을 주었고, 이를 실현하기 위한 첫걸음을 내딛게 했습니다.

이 장을 통해 저는 독자들에게 제가 어떻게 인공지능을 활용하여 현실의 어려움에서 벗어나고, 미래의 성공을 위한 긍정적인 마인드셋을 구축했는지 공유하고자 합니다.

User 프롬프트: *인공지능을 활용해서 인간의 잠재력을 획기적으로 향상시키는 프로그램을 만든 선영의 성공스토리 작성해줘*

ChatGPT

이 이미지는 선영이 대규모 관객 앞에서 발표하는 모습을 보여줍니다. 거대한 화면에는 'Translates of dreams'와 같은 구호와 함께 다양한 고도의 기술 이미지들이 표시되어 있어, 인공지능을 활용한 미래 기술의 발표를 연상시킵니다.

선영의 성공스토리:

선영은 인공지능 분야에서 세계적으로 인정받는 혁신가이다. 그녀는 "드림트랜스레이터(DreamTranslator)"라는 혁신적인 프로그램을 개발하여 사람들이 자신의 꿈과 목표를 실현할 수 있도록 도왔다. 이 프로그램은 사용자의 꿈과 희망을 분석하여, 그들의 잠재력을 극대화하는 맞춤형 경로를 제시한다. 선영은 이 기술로 인해 수많은 사람들이 자신의 진정한 열정을 찾고, 더 나은 삶을 살도록 영감을 주었다. 그녀의 성공은 인간의 창의력과 기술의 결합이 가져올 수 있는 무한한 가능성을 세계에 보여주었다. 오늘날, 그녀는 그녀의 프로그램이 어떻게 수천 명의 삶을 변화시켰는지에 대해 세계적인 컨퍼런스에서 이야기하고 있다.

Generated by DALL·E : 드림트랜스레이터

User 프롬프트: *가상인간 아바타를 만들어 미래비전 영화를 만들어 사람들의 꿈을 찾아주는 한국인 30대 여성 영화감독이 인간의 잠재력을 향상시키는 미래비전 영화를 상영하고 있다. 영화를 보는 관객들이 주인공이 되어 함께 신나게 춤을 추며 행복해하는 모습을 그리려고 하는데 프롬프트 작성해줘.*

ChatGPT

장면 제목: "새로운 내가 되는 드림댄스"

INT. "미래형 영화관 - 밤 극장은 몰입형 스크린이 관객을 둘러 싸고 있는 최신식 공연장입니다. 분위기는 기대감으로 가득 차 있습니다.

CUT TO: 30세의 한국 여성 감독 지현이 당당하게 앞에 서 있습니다. 그녀의 에너지는 전염성이 있습니다. 그녀는 환한 미소로 관중들에게 인사합니다.

JI-HYUN (열정적으로) 오늘 밤, 우리는 단순히 영화를 보는 것이 아닙니다. 여러분 각자가 가장 멋진 자신이 되는 세상에 발을 들여놓는 겁니다. 우리 내면의 힙합 스타를 마음껏 발산해 봅시다! 관객들이 환호성을 지릅니다. 조명이 어두워지고 영화가 시작됩니다.

CUT TO: 영화는 도시 풍경과 미래지향적인 비주얼이 생동감 있게 어우러져 있습니다. 힙합 댄스를 통해 자아를 발견하고 권한을 부여하는 이야기를 담고 있습니다.

CUT TO: 영화가 중요한 순간에 이르면 가상 아바타가 역동적인 힙합 루틴을 선보이기 시작합니다. 베이스가 강렬한 힙합 음악이 극장에 울려 퍼집니다.

지현 (영화 내 음성 해설) 자, 이제 여러분의 차례입니다! 비트를 느끼고 그 비트에 몸을 맡기세요! 좌석이 바뀌고 관객들이 일어서기 시작합니다. 흥겨운 분위기가 퍼집니다.

CUT TO: 극장이 힙합 댄스 플로어로 변신합니다. 벽에 거울이 나타나 관객을 비춥니다. 관객들은 세련된 힙합 의상을 입은 아바타와 합쳐진 자신의 모습을 보게 됩니다.

CUT TO: 영감을 받은 관객들이 춤을 추기 시작합니다.
처음에는 어설프지만 비트에 맞춰 리듬을 찾습니다. 각자의
개성이 반영된 독특한 춤사위가 펼쳐집니다. CUT TO: 지현은
자부심에 가슴이 부풀어 오른 채 지켜봅니다. 수줍은 10 대
소녀가 과감한 동작을 선보이고, 중년 남성이 자신의 그루브를
찾고, 친구들이 함께 웃으며 춤을 추는 모습이 눈에
들어옵니다.

지현 (혼잣말) 지금이 바로... 모두가 가장 멋진 자신을 만나는
순간입니다. 춤을 통해 기쁨과 자신감을 발견하는 사람들의
활기찬 태피스트리가 펼쳐지는 장면입니다. 모두가 그 순간에
완전히 몰입한 에너지가 전염됩니다.

Generated by DALL·E : 새로운 내가 되는 드림댄스

User 프롬프트: *가상인간을 개발해 꿈을 현실로 만드는 드림무비로 한국에 잠재의식혁명을 일으킨 2025년 100억 자산가가 된 한국인 여성사업가 장선영대표가 수만명이 모인 강연장에서 성공마인드 잠재의식 강연을 하는 모습 웹툰 스토리로 그려줘*

ChatGPT

웹툰 시나리오: "장선영: 드림무비와 잠재의식의 혁명"

1. 개요

제목: 장선영: 드림무비와 잠재의식의 혁명

장르: 비즈니스, 인스피레이션, 과학소설
타깃 독자: 청년, 성인, 기술 애호가
에피소드 수: 12부작
주제: 기술 혁신, 잠재의식, 자기 계발
2. 주요 등장인물

장선영: 주인공, 인공지능 가상인간 '드림무비' 개발자, 40대 중반.
청중들: 다양한 배경을 가진 사람들로 구성된 대규모 강연 참석자들.

3. 에피소드 개요

에피소드 1: 혁신의 시작

장선영이 '드림무비'를 개발하는 모습. 꿈을 현실로 변환하는 기술 소개.
한국에서의 잠재의식 혁명과 그녀의 성공 스토리 조명.
에피소드 2: 대규모 강연 준비

장선영이 강연 준비하는 모습, 기대감이 고조되는 분위기.
수천 명이 모이는 대형 강연장의 분주한 장면.

에피소드 3~10: 강연의 진행

장선영이 무대에 등장하여 성공마인드와 잠재의식에 대해 열정적으로 강연.
'드림무비' 기술을 활용한 사례들과 개인적인 경험 공유.
청중들의 다양한 반응, 감동과 공감의 모습 포착.
에피소드 11: 클라이맥스

강연의 하이라이트, 장선영의 감동적인 메시지.
청중들의 눈물과 환호, 감명 깊은 반응.
에피소드 12: 강연의 마무리

장선영의 감사 인사와 격려의 말.
사람들이 각자의 꿈을 향해 나아갈 것을 다짐하는 모습.
4. 비주얼 스타일

현대적이고 다이나믹한 웹툰 스타일.

강연장의 열정적이고 감동적인 분위기를 생생하게 묘사.
감정적인 순간들은 섬세하고 깊이 있는 표현으로 구현.
5. 중점 사항

'드림무비'와 잠재의식의 힘을 중심으로 한 스토리라인.
장선영의 캐릭터와 청중들의 다양한 감정 변화에 초점.
기술의 사회적 영향과 개인적 변화를 강조하는 내용 구성.

User 프롬프트: 대사 넣어줘

ChatGPT

웹툰 시나리오 "장선영: 드림무비와 잠재의식의 혁명" - 대사 포함

에피소드 1: 혁신의 시작

장선영 (내레이션): "드림무비는 꿈을 현실로 바꾸는 기술입니다. 우리의 상상력이 현실이 되는 순간을 상상해보세요."

뉴스 앵커: "장선영 대표의 드림무비가 한국에서 잠재의식 혁명을 일으키고 있습니다."

에피소드 2: 대규모 강연 준비

장선영: "오늘 강연은 제 인생에서 가장 중요한 순간 중 하나입니다. 모두가 꿈을 이룰 수 있도록 도와주고 싶어요."

스태프: "대표님, 모든 준비가 완료되었습니다. 청중들이 벌써부

터 열광하고 있어요!"

에피소드 3~10: 강연의 진행

장선영: "성공의 마인드셋은 우리의 잠재의식에서 시작됩니다. 드림무비는 그 가능성을 현실로 만들어줍니다."

청중 A: "이렇게 혁신적인 기술을 직접 듣게 되다니, 정말 믿을 수 없어요."

에피소드 11: 클라이맥스

장선영: "여러분의 꿈을 두려워하지 마세요. 드림무비와 함께라면, 모든 것이 가능합니다!"

청중 B (눈물을 흘리며): "이 말을 듣고 나니, 정말로 꿈을 이룰 수 있을 것 같아요."

에피소드 12: 강연의 마무리

장선영: "오늘 이 자리에 함께 해주셔서 감사합니다. 여러분의 꿈이 현실이 되는 그 날까지 함께 하겠습니다."

청중들 (박수치며): "장선영 대표님, 감사합니다!"

비주얼 지침
강연장의 열기와 장선영의 열정적인 모습을 생생하게 표현.
청중들의 감동적인 반응과 개인적인 순간들을 세심하게 묘사.

User 프롬프트: *9컷으로 웹툰 그려줘*

ChatGPT

Generated by DALL·E : 드림무비와 잠재의식 혁명 웹툰

-인공지능을 활용한 꿈의 시각화기법

꿈을 시각화하는 것은 제게 개인적으로 큰 도움이 되었습니다. 처음에는 단순히 마음속에 그리는 상상에 불과했지만, 인공지능의 도움으로 제 내면의 생각과 꿈들을 구체적인 이미지로 옮길 수 있게 되었습니다.

인공지능 그림 도구를 사용하면서, 제가 상상했던 꿈의 장면들이 화면 위에 실체화되는 경험은 매우 강렬했습니다. 이러한 시각적 표현은 제가 꿈꾸는 미래에 한층 더 가까이 다가갈 수 있는 원동력이 되었고, 구체적인 목표 설정과 계획 수립에 큰 도움을 주었습니다.

제 꿈을 시각화함으로써, 제가 추구하는 삶의 방향과 가치가 더욱 분명해졌고, 이는 저에게 매일 아침 일어나 새로운 도전을 시작하는 힘을 주었습니다. 또한, 꿈을 이미지로 만드는 과정에서 생겨난 자신감은 제가 현실에서 마주하는 어려움들을 극복하는 데 있어 중요한 역할을 했습니다.

실제로 인공지능을 통해 꿈을 시각화한 후, 제 삶에서 긍정적인 변화가 일어나기 시작했습니다. 목표에 대한 명확한 시각화는 제 행동에 집중을 가져다 주었고, 장기적인 성공을 위한 구체적인 단계를 세우는 데 필수적이었습니다. 이제 저는 꿈을 단순히 꿈으로 끝내지 않고, 그것을 실현하기 위한 실질적인 행동으로 옮기고 있습니다.

이러한 경험을 바탕으로, 저는 다른 사람들에게도 인공지능을 활용한 꿈의 시각화가 얼마나 유용한지 전파하고자 합니다. 그것이 단순한 기술을 넘어서 우리의 내면 깊은 곳에 있는 열망과 잠재력을 이끌어내는 강력한 수단이 될 수 있음을 알게 되었습니다

꿈을 시각화 하는 것이 어렵다면 인공지능의 도움을 받는 것을 추천합니다.

7장.
사업기획의 새 지평

사업 기획은 복잡하고 어려운 과정입니다. 하지만 인공지능을 사용하면 생각을 확장하고, 사업 아이디어를 실현하는 데 큰 도움이 됩니다. 이 장에서는 인공지능을 활용한 사업 기획의 이점과 접근 방법에 대해 탐구합니다.

사업을 시작하기 전에 시장 분석은 필수적입니다. 인공지능은 대량의 데이터를 분석하여 시장의 동향, 고객의 요구, 경쟁사의 전략 등을 신속하고 정확하게 파악하는 데 도움을 줍니다. 이를 통해 보다 효과적인 사업 전략을 수립할 수 있습니다.

인공지능은 창의적인 아이디어 발굴에도 유용합니다. 인공지능이 제공하는 다양한 시나리오와 예측 모델을 활용하면 새로운 사업 아이디어나 혁신적인 제품, 서비스를 고안하는 데 영감을 얻을 수 있습니다.

사업 기획 과정에서 리스크 관리는 매우 중요합니다. 인공지능은 다양한 변수를 분석하여 잠재적인 리스크를 예측하고, 이에 대한 대응 전략을 제시합니다. 이를 통해 보다 안정적인 사업 계획을 수립할 수 있습니다.

인공지능은 사업 기획 과정의 자동화를 가능하게 합니다. 반복적인 업무, 데이터 관리, 고객 응대 등을 인공지능이 처리하게 함으로써 시간과 비용을 절약할 수 있으며, 핵심적인 사업 전략에 더 집중할 수 있습니다.

이 장을 통해 독자들은 인공지능을 어떻게 사업 기획에 효과적으로 활용할 수 있는지, 그리고 그로 인해 얻을 수 있는 이점에 대해 알게 될 것입니다. 인공지능은 단순한 도구가 아니라, 사업 성공을 위한 강력한 파트너가 될 수 있습니다.

User 프롬프트: *인스타그램이 사진공유서비스를 만든것처럼 도전하면서 습관을 공유하는 커뮤니티 플랫폼을 만들건데 인공지능을 활용해서 계획을 세우고 사람이 코칭하면서 잔소리를 해서 성공하게 만드는 플랫폼으로 기획해줘*

ChatGPT

새로운 커뮤니티 플랫폼을 기획하는 데 있어, 인스타그램처럼 사진 공유에 중점을 둔 대신, 도전과 습관 공유에 초점을 맞춘 플랫폼을 만들고자 하시는 것 같습니다. 인공지능을 활용한 계획 수립과 사람이 진행하는 코칭을 통해 사용자들이 목표를 달성하도록 돕는 방식이 흥미롭습니다. 다음은 이러한 컨셉에 기반한 플랫폼의 기획안입니다.

서비스 이름: "ChallengeMate"

1. 콘셉트 및 목적

사용자가 자신의 목표, 도전, 습관 형성을 공유하고, 인공지능과

코치의 도움을 받아 성공적으로 달성할 수 있는 플랫폼.

목표 설정에서부터 달성까지 사용자를 지원하며, 동기 부여와 잔소리를 통해 지속적으로 도전을 유지하게 함.

2. 주요 기능

목표 설정: 사용자가 자신의 목표를 설정하고, 인공지능이 그에 맞는 계획을 제안.

진행 상황 공유: 목표 달성을 위한 일일, 주간 미션 공유 및 진행 상황 업데이트.

AI 기반 조언: 인공지능이 사용자의 진행 상황에 따라 맞춤형 조언과 잔소리를 제공.

인간 코치 지원: 전문 코치가 사용자에게 개별적인 조언과 격려를 제공.

커뮤니티 참여: 같은 목표나 도전을 하는 다른 사용자들과 소통하고, 지지와 조언을 받을 수 있는 커뮤니티 공간.

3. 사용자 인터페이스

명확하고 직관적인 디자인으로 사용자가 쉽게 목표를 설정하고 진행 상황을 확인할 수 있도록 함.

모바일과 웹 양쪽에서 사용 가능한 플랫폼.

4. 상호작용 및 커뮤니티 기능

사용자들이 서로의 도전과 성공을 공유하고, 격려와 조언을 주고받을 수 있는 기능.커뮤니티에서는 다양한 도전과 습관 관련 이벤트와 챌린지를 진행.

5. 보안 및 개인정보 보호

사용자의 개인 정보와 공유 내용의 보안을 중시하며, 개인정보 보호 정책을 명확히 제공.

6. 대상 사용자

새로운 습관을 형성하고자 하거나 특정 목표를 달성하려는 모든 연령대의 사용자.

'ChallengeMate'는 개인의 성장과 발전을 지원하는 플랫폼으로서, 사용자들이 서로를 격려하고 응원하는 긍정적인 커뮤니티를 형성하며, 인공지능과 인간 코치의 도움을 받아 자신의 목표를 성공하려는 개인

7. 마케팅 전략

타겟 마케팅: 목표 달성 및 습관 형성에 관심 있는 사용자를 대상으로 소셜 미디어, 블로그, 포럼을 통한 홍보 진행.

커뮤니티 기반 마케팅: 기존 사용자의 성공 사례를 공유하여 신규 사용자 유치.

파트너십 개발: 건강, 라이프스타일, 교육 분야의 기업 및 전문가와의 파트너십을 통해 서비스 확장.

8. 수익 모델

프리미엄 서비스: 추가 기능을 제공하는 프리미엄 멤버십 옵션.

광고 및 스폰서십: 관련 분야의 기업들로부터의 광고 및 스폰서십 수입.

코칭 서비스: 전문가 코칭에 대한 별도의 수수료.

9. 기술 개발

인공지능 알고리즘: 사용자의 활동 데이터를 기반으로 개인화된 조언과 코칭을 제공하는 AI 시스템 개발.

데이터 분석: 사용자의 성공률을 향상시키기 위한 지속적인 데이터 분석 및 개선.

10. 사용자 경험

사용자 피드백: 지속적인 사용자 피드백 수집을 통해 서비스 개선.

커뮤니티 관리: 활발하고 긍정적인 커뮤니티 환경 유지.

이러한 기획은 'ChallengeMate'를 통해 사용자들이 서로 격려하고 도전을 공유하며, 개인적인 성장을 이루는 데 도움을 줄 수 있는 플랫폼을 만드는 데 중점을 두고 있습니다. 인공지능과 인간 코치의 결합은 사용자들이 실제적인 진전을 이루도록 돕는 핵심 요소가 될 것입니다.

User 프롬프트: 'ChallengeMate'커뮤니티 활성화를 위해 우선적으로 해야 하는 것들을 알려줘

ChatGPT

'ChallengeMate' 커뮤니티를 활성화하기 위해 우선적으로 해야 할 몇 가지 주요 활동은 다음과 같습니다:

* 커뮤니티 구축 및 관리 강화

목표 중심의 소그룹 생성: 사용자들이 비슷한 목표나 관심사를 가진 소그룹을 만들어 서로 도움을 줄 수 있도록 합니다.

관리자 및 모더레이터 선정: 커뮤니티의 질서 유지와 활성화를 위해 적극적인 관리자와 모더레이터를 선정합니다.

* 인센티브 및 보상 시스템 도입

도전 성공 보상: 목표 달성시 포인트, 뱃지, 인증서 등의 보상을 제공하여 동기를 부여합니다.

활동적인 사용자 보상: 커뮤니티 내에서 활동적인 사용자에게 추가적인 인센티브를 제공합니다.

* 커뮤니티 내 이벤트 및 챌린지 주최

특별 이벤트: 주간, 월간 챌린지를 통해 사용자들이 새로운 목표에 도전하도록 유도합니다.

사용자 참여 이벤트: 사용자들이 직접 기획하고 참여할 수 있는 이벤트를 마련합니다.

* 콘텐츠 공유 및 교육

교육 자료 제공: 목표 달성에 도움이 되는 팁, 가이드, 웨비나 등을 제공합니다.

사용자 경험 공유: 성공 사례, 후기, 인터뷰 등을 공유하여 다른 사용자에게 영감을 줍니다.

* 소통 채널 활성화

정기적인 피드백 수집: 사용자의 의견을 수집하고 반영하여 서비스를 개선합니다.

질문 및 토론 포럼 운영: 사용자들이 서로 질문하고 토론할 수 있는 공간을 마련합니다.

* 마케팅 및 홍보

소셜 미디어 활용: 소셜 미디어 채널을 통해 커뮤니티를 홍보하고 새로운 사용자를 유치합니다.

파트너십 및 협력: 관련 분야의 다른 커뮤니티나 기관과의 협력을 통해 네트워크를 확장합니다.

이러한 전략들을 통해 'ChallengeMate' 커뮤니티를 활성화시키고, 사용자들이 긍정적이고 지속 가능한 방식으로 서로를 지지하고 도울 수 있는 환경을 조성할 수 있습니다.

User 프롬프트: *'ChallengeMate' 홍보용 이미지 그려줘.*

Generated by DALL·E: 'ChallengeMate' 홍보용 이미지

User 프롬프트: 생각이 많고 부정적이고 우울한 사람의 지금 당장 감정상태를 바꿔주는 댄스학원을 할껀데 짧은시간에 도파

민이 나올 수 있는 프로그램으로 기획해줘

ChatGPT

당신이 계획하고 있는 댄스 학원 프로그램은 매우 흥미롭고 유망해 보입니다. 짧은 시간에 도파민을 증가시키고 긍정적인 감정 상태를 유도할 수 있는 프로그램을 구상하기 위해 몇 가지 요소를 고려할 수 있습니다:

에너지 넘치는 음악 선택: 신나고 밝은 음악은 기분을 전환하는 데 매우 효과적입니다. 다양한 장르의 음악을 선정하여 참가자들이 쉽게 몰입할 수 있도록 합니다.

다이나믹한 댄스 루틴: 간단하면서도 활기찬 댄스 동작을 포함하는 것이 좋습니다. 이러한 동작은 참가자들이 쉽게 따라 할 수 있으며, 신체 활동을 통해 도파민 분비를 촉진합니다.

짧은 강좌 구성: 프로그램을 짧고 강렬하게 구성하여 참가자들이 집중력을 잃지 않고 참여할 수 있도록 합니다. 예를 들어, 30분 짜리 집중 강좌가 적합할 수 있습니다.

그룹 활동 및 상호 작용 강화: 참가자들 간의 상호 작용을 촉진하는 활동을 포함시키면, 사회적 연결감을 느끼게 하여 긍정적인 감정 상태를 더욱 증진시킬 수 있습니다.

포지티브한 분위기 조성: 강사와 스태프는 항상 긍정적이고 에너지가 넘쳐야 합니다. 참가자들이 편안하고 즐거운 환경에서 활동할 수 있도록 분위기를 조성하는 것이 중요합니다.

건강과 웰빙에 대한 간단한 팁 제공: 강좌 시작 전이나 후에 건강과 웰빙에 관한 간단한 정보를 제공하면, 참가자들이 일상 생활에서도 긍정적인 변화를 적용할 수 있게 됩니다.

이러한 요소들을 프로그램에 포함시키면, 참가자들이 빠르게 긍정적인 감정 상태로 전환할 수 있을 것입니다.

User 프롬프트

자신감상승반, 폼생폼사반, 만족반, 열정반, 도전반, 혁신반, 성취반 이렇게 나눠서 운영하려고 하는데 기획을 해줘

ChatGPT

댄스 학원에서 제안하신 '자신감상승반', '폼생폼사반', '만족반', '열정반', '도전반', '혁신반', '성취반' 등의 프로그램을 운영하기 위한 기획안을 제시하겠습니다. 각 반은 다음과 같이 구성할 수 있습니다:

1. 자신감상승반

목표: 자신감을 높이는 데 중점을 두고, 참가자들이 자신의 몸과 움직임에 대해 더 자신감을 가질 수 있도록 돕습니다.

활동: 포즈 연습, 자기표현 춤, 거울 앞에서의 연습 등을 통해 자기 인식과 자신감을 향상시킵니다.

2. 폼생폼사반

목표: 올바른 자세와 테크닉을 강조하여 참가자들이 스타일리시하고 효과적인 춤을 추도록 합니다.

활동: 기본 댄스 동작 교육, 포즈 연습, 그룹 및 개인 피드백 세션을 포함합니다.

3. 만족반

목표: 춤을 통해 즐거움과 만족감을 느끼게 하고, 스트레스를 해소하는 데 중점을 둡니다.

활동: 즐거운 음악과 가벼운 루틴을 사용하여 즐거움을 최대화합니다.

4. 열정반

목표: 열정적이고 에너지 넘치는 춤을 통해 참가자들의 열정을 불러일으킵니다.

활동: 라틴, 힙합 등 역동적인 스타일을 포함하며, 에너지 넘치는 음악과 동작으로 수업을 진행합니다.

5. 도전반

목표: 새로운 동작과 루틴에 도전하며, 자기 한계를 넓히는 데 중점을 둡니다.

활동: 복잡하고 도전적인 루틴을 학습하고, 개인 및 그룹 도전 과제를 수행합니다.

6. 혁신반

목표: 창의적이고 혁신적인 춤 스타일을 탐색하고 실험하는 것에 중점을 둡니다.

활동: 새로운 스타일과 동작을 결합하고, 창의적인 안무 제작에 집중합니다.

7. 성취반

목표: 개인의 목표 달성과 성취감을 경험하게 하는 데 초점을 맞춥니다.

활동: 개인 목표 설정, 진행 상황 추적, 성취 축하 이벤트 등을 포함합니다.

각 반은 참가자의 개별적인 요구와 목표에 맞춰져 있으며, 모든 참가자가 자신에게 맞는 수업을 찾아 즐길 수 있도록 합니다. 이 프로그램들은 각각의 특성에 맞게 맞춤형 음악, 안무, 그리고 교육 방식을 갖추고 있어야 합니다.

User 프롬프트

문제는 강사진인데 인공지능을 도입해 최소한으로 운영하려고 하는데 아이디어를 줄래?

ChatGPT

인공지능(AI)을 활용하여 댄스 학원을 최소한의 인력으로 효율적으로 운영하는 방법에 대해 몇 가지 아이디어를 제공하겠습니다:

1. AI 강사 보조 시스템

기능: 인공지능이 수업을 보조하여 강사의 부담을 줄이고, 개별 학생의 춤 동작을 분석하여 맞춤형 피드백을 제공합니다.

이점: 강사는 더 많은 학생들에게 집중할 수 있고, 학생들은 개인화된 학습 경험을 얻을 수 있습니다.

2. 가상 강사 프로그램

기능: AI 기반 가상 강사가 기본적인 루틴과 동작을 가르치는 온라인 플랫폼을 개발합니다.

이점: 학생들은 시간과 장소에 구애받지 않고 수업에 참여할 수 있습니다.

3. 자동 출결 관리 시스템

기능: 얼굴 인식 또는 QR 코드 스캔을 통해 학생들의 출결을 자동으로 관리합니다.

이점: 인력을 통한 수기 출결 관리의 필요성을 줄이고, 정확한 출결 데이터를 확보할 수 있습니다.

4. 개인화된 학습 추천 시스템

기능: 학생들의 수업 참여도, 학습 진도, 피드백을 기반으로 개인화된 학습 경로를 제안합니다.

이점: 각 학생의 필요와 능력에 맞는 최적의 학습 경험을 제공할 수 있습니다.

5. AI 기반 고객 서비스

기능: 챗봇을 통해 학생들의 질문에 실시간으로 응답하고, 등록 및 일정 관리를 돕습니다.

이점: 관리 인력의 부담을 줄이고, 학생과 보호자의 만족도를 높일 수 있습니다.

6. 데이터 분석과 보고

기능: 학생들의 출결, 수업 참여도, 진도 등의 데이터를 분석하여 강사와 학원 관리자에게 정기적인 보고서를 제공합니다.

이점: 학원 운영의 효율성을 높이고, 수업의 질을 개선할 수 있는 인사이트를 제공합니다.

이러한 AI 기술의 도입은 학원 운영의 효율성을 증대시키고, 강사와 학생 모두에게 더 나은 학습 경험을 제공할 수 있습니다.

이 내용을 그림으로 그려줘

Generated by DALL·E: 인공지능과 함께하는 이상한 댄스 학원

-인공지능을 활용한 사업 기획: 생각의 확장과 새로운 아이디어의 발견

사업을 기획하며 가장 큰 과제 중 하나는 창의적이고 혁신적인 아이디어를 찾는 것입니다. 이 과정에서 인공지능(AI)은 무한한 가능성을 열어줄 수 있는 새로운 도구로 떠오르고 있습니다. 인공지능이 가지는 데이터 분석 및 패턴 인식 능력은 사업 기획자가 기존에 간과했던 요소들을 발견하고, 전에는 생각하지 못했던 방향으로 아이디어를 확장하는 데 도움을 줍니다.

시장 분석에서부터 리스크 관리, 자동화 및 효율성 증진에 이르기까지 인공지능은 다양한 영역에서 사업 기획의 질을 높일 수 있습니다. 인공지능은 대량의 데이터를 신속하고 정확하게 처리하여 실시간으로 유의미한 인사이트를 제공합니다.

또한, 인공지능은 사업 기획의 효율성을 극대화합니다. 반복적이고 시간이 많이 소요되는 작업을 자동화함으로써 사업 기획자는 전략적 사고와 창의적인 작업에 더 많은 시간을 할애할 수 있습니다.

예를 들어 'ChallengeMate'는 인공지능을 활용하여 사업 초보자들이 목표 설정에서부터 실행까지의 전 과정에서 더 나은 결정을 내릴 수 있도록 돕는 플랫폼으로, 개인화된 학습 추천 시스템을 통해 각 사용자에게 맞춤형 교육을 제공하고, AI 기반의 고객 서비스로 운영의 효율성을 증대시킵니다. 데이터 분석을 통해 학원의 운영 상황을 면밀히 모니터링하며, 교육 프로그램을 계획하는 데 필요한 인사이트를 제공하여 사용자의 사업 기획에 생각을 확장시켜 줍니다.

또한, AI 강사 보조 시스템이나 가상 강사 프로그램은 교육 사업에서 인력의 부담을 줄이고 교육의 질을 높이는 데 도움을 줄 수 있다는 것을 알려줍니다.

인공지능을 통한 개인화된 학습 추천 시스템은 각 학생에 맞춤형 교육을 제공하여 교육 서비스의 만족도를 높이는 한편, AI 기반 고객 서비스는 학원 운영의 효율성을 증대시킬 것이라 예상할 수 있습니다. 더불어, 데이터 분석과 보고를 통해 학원의 운영 상황을 면밀히 모니터링하며, 교육 프로그램을 어떻게 만들지 막막한 사업초보자에게 방향성을 제시해주는데 도움을 줍니다.

이처럼 인공지능은 생각을 확장시키고 사업 기획에 혁신을 불어넣는 도구로서, 새로운 사업 아이디어와 기회를 창출하는 데 큰 역할을 합니다. AI의 도움으로 사업 기획자는 기존의 틀을 깨고 보다 혁신적이고 창의적인 방향으로 생각할 수 있게 되었습니다.

8장.
소통과 공감능력 향상

소통과 공감 능력은 개인과 집단 간의 상호 작용에서 매우 중요한 역량입니다. 이러한 역량이 부족하다면, 인공지능(AI) 기술을 활용하여 이를 향상시킬 수 있습니다.

먼저, 인공지능을 활용하여 대화의 기술을 연습할 수 있습니다. AI 챗봇과의 대화를 통해 다양한 상황에서의 의사소통 방법을 학습하고, 적절한 반응과 피드백을 연습할 수 있습니다. 또한, 인공지능 프로그램은 사용자의 말투, 언어 선택, 그리고 감정 표현을 분석하여 개선점을 제시할 수 있습니다.

공감 능력 향상을 위해서는, 인공지능이 제공하는 시뮬레이션 게임이나 시나리오 기반 학습을 활용할 수 있습니다. 가상의 상황에서 다른 사람의 입장을 이해하고, 감정을 읽어내는 연습을 통해 공감 능력을 강화할 수 있습니다.

AI는 또한 사용자의 감정을 인식하고 분석하는 기술을 가지고 있습니다. 이를 통해 사용자는 자신의 감정 상태를 더 잘 이해하고, 타인의 감정을 파악하는 데에도 도움을 받을 수 있습니다. 감정 인식 기술을 통해 타인의 기분을 감지하고 이에 적절히 반응하는 방법을 배울 수 있습니다.

User 프롬프트: *뒷담화하는 사람의 심리는 멀까*

ChatGPT

뒷담화하는 사람들의 심리는 다양할 수 있습니다. 여러 가지 이유로 뒷담화를 하는 사람들이 있을 수 있지만, 일반적으로 다음과 같은 이유가 있을 수 있습니다:

승격 또는 자신감 부족: 뒷담화를 하는 사람들 중 일부는 다른 사람들을 비판하거나 명예를 손상시킴으로써 자신을 강조하려는 경우가 있을 수 있습니다. 이는 자신의 위치나 업적에 대한 불안감이나 자신감 부족에서 비롯될 수 있습니다.

질투와 증오: 때로는 뒷담화는 다른 사람에 대한 질투나 증오의 표현일 수 있습니다. 이러한 사람들은 다른 사람들이나 그들의 성공에 대해 부정적인 감정을 품고 있을 수 있으며, 그들의 불만이나 부정적인 관점을 퍼뜨리기 위해 뒷담화를 사용할 수 있습니다.

사회적인 결속과 그룹동질성: 뒷담화는 때로는 사회적인 결속을 형성하거나 그룹 동질성을 유지하는 방법으로 사용될 수 있습니다. 사람들은 자신들이 속한 그룹의 일원으로서 느끼기 위해 뒷담화에 참여할 수 있으며, 이를 통해 그들의 공동체의 가치나 규범을 강화하려고 할 수 있습니다.

익명성과 위력의 감소: 일부 사람들은 뒷담화를 통해 자신의 익명성을 유지하고, 다른 사람들에게 자신의 의견이나 견해를 편리하게 전달할 수 있습니다. 이는 그들이 뒷담화를 통해 자신의 힘과 영향력을 행사할 수 있다고 느낄 수 있기 때문입니다.

물론, 개별적인 사람의 심리는 매우 복잡하고 다양하기 때문에 위에서 언급된 이유들이 모든 뒷담화를 하는 사람들에게 해당되는 것은 아닙니다. 또한, 뒷담화에 참여하는 이유와 심리는 맥락에 따라 달라질 수 있습니다.

User 프롬프트: 막상 앞에서 상대할 용기가 없는거 아닐까

ChatGPT

앞에서 상대할 용기가 없는 사람들이 뒷담화를 하는 이유는 여러 가지일 수 있습니다. 다음은 일반적인 이유 중 일부입니다:

대면 상황의 불안감: 일부 사람들은 대면 상황에서 자신의 의견을 표현하거나 갈등을 다루는 것에 불안감을 느낄 수 있습니다. 대면으로 의견을 제시하면 비판을 받을 수도 있고, 충돌이 발생할 수도 있기 때문입니다. 이런 상황에서 뒷담화는 대면으로 의사소통하기 어려운 사람들이 마음 속에서 감정을 표출하는 방법 중 하나일 수 있습니다.

사회적인 압박: 사회적인 압박이나 집단 내에서의 계급 구조로

인해 일부 사람들은 상대에 대한 의견을 솔직하게 표현하는 것에 망설임을 느낄 수 있습니다. 그들은 다른 사람들의 인정이나 사회적 지위를 위해 뒷담화를 선택할 수 있습니다.

충동 제어의 어려움: 뒷담화는 상대에 대한 부정적인 감정이나 충동을 통제하기 위한 방법으로 사용될 수 있습니다. 상대와 직접 대면하는 것은 이러한 부정적인 감정이나 충동을 통제하기 어렵게 만들 수 있습니다. 따라서 뒷담화는 이러한 감정을 해소하거나 상대에 대한 반응을 억제하기 위한 방법으로 선택될 수 있습니다.

이러한 이유로 인해 상대와 대면하는 것에 대한 용기가 부족해 보일 수 있습니다. 그러나 자신의 의견을 표현하고 상대와 직접적으로 대화하는 것은 건강한 의사소통과 관계 형성을 위해 중요합니다. 이를 위해 자신의 감정과 의견을 솔직하게 표현하는 연습과 자기 자신을 받아들이는 과정이 도움이 될 수 있습니다.

User 프롬프트: 사랑하는 친구를 잃은 동료에게 위로의 편지 작성해줘

ChatGPT

물론, 아래는 당신의 동료에게 위로의 편지 예시입니다.

[동료의 이름]님께,

안녕하세요 [당신의 이름]입니다. 먼저 [친구의 이름]님의 서거에 깊은 애도의 뜻을 표합니다. 그런 아픈 상실을 겪게 되어 정말로 마음이 아파합니다.

[친구의 이름]님과의 추억이 떠오르면, 얼마나 특별하고 따뜻한 인간이었는지 다시 한번 느껴집니다. 그리고 그런 특별한 사람을 친구로 둘 수 있었던 [동료의 이름]님의 행운을 느꼈습니다.

알고 있습니다. 지금의 상실감, 그리움, 슬픔은 말로 표현할 수 없을 정도로 크겠죠. 그런데, [친구의 이름]님의 기억은 항상 우리와 함께하며, 그 아름다운 순간들을 영원히 기억하게 될 것입니다.

[동료의 이름]님, 슬픈 시간을 혼자 보내지 마세요. 필요할 때 언제든지 제게 연락해 주세요. 함께 이 시간을 견디고, [친구의 이름]님의 추억을 같이 나누고 싶습니다.

다시 한번 깊은 애도의 뜻을 전하며, [동료의 이름]님의 곁에 항상 힘이 되고자 합니다.

감사합니다.

[당신의 이름]

이 편지는 예시로 작성된 것이기에, 실제로 전달하기 전에 당신의 개인적인 감정과 추억을 담아 수정해 주시면 더욱 의미있게 전달될 것입니다.

User 프롬프트: *친구에게 하는 말투로 해줘*

ChatGPT

물론이에요. 친구에게 보내는 더 친근한 말투로 위로의 메시지를 작성해보겠습니다.

[동료의 이름]야,

안녕? [당신의 이름]이야. 최근 일로 너무나 마음이 무겁겠다 생각해. [친구의 이름]에 대한 슬픔을 정말로 이해해. 나도 그 사실을 알고 깜짝 놀랐어.

우리 모두 [친구의 이름]이 얼마나 대단한 사람이었는지 알아. 너와 함께 보낸 그 모든 순간들, 그 추억들은 정말 소중해. 그 추억들은 영원히 우리 마음속에 남을 거야.

지금 너무 힘들겠지만, 혼자 빠져들지 말고 필요하면 언제든지 나한테 연락해. 서로 얘기하며 힘을 얻어보자고.

항상 네 곁에 있을게. 힘내자, 친구야.

[당신의 이름]

이 메시지도 당신의 개인적인 감정과 추억에 맞게 약간 수정해 사용하면 좋을 것 같아요.

User 프롬프트: 여러분👀👀 저 니스에서 전시 오프닝을 잘 마쳤습니다!!!

너무너무 꿈만 같고 행복했어요🖤┃┃

1기 여러분들께도 이 감동을 공유하고 싶어요!

인스타에 응원 메시지 보내주시면 더더 힘내겠습니당🫶🫶

사진과 영상 앞으로도 계속 올릴게요🖤

지켜봐주세요🎞🎞

감사합니다~ 사랑합니다~~🤍🤍🤍🤍🤍 게 보낸 지인에게 축하의 답장해줘

ChatGPT

축하드립니다! 니스에서의 전시 오프닝이 성공적으로 마무리되어서 정말 기뻐요! 사진과 영상을 계속 공유해주시면 저도 함께 응원하겠습니다. 사랑합니다! 🤍🤍🤍🤍🤍

User 프롬프트: 진성정있게 축하해줘

ChatGPT

진정성 있는 축하를 드립니다! 축하해요! 🎉🎊

User 프롬프트: 진심을 다해 축하하는 답장 해줘'

ChatGPT

진심으로 축하드립니다! 당신의 성공적인 전시 오프닝을 기념하며 큰 행복을 느끼셨을 것입니다. 더 큰 성공과 행운이 함께하기를 기원합니다. 앞으로도 더 많은 성과를 이루시기를 바라며, 미래의 모든 일들이 밝고 행복한 일들로 가득하길 기대합니다. 축하합니다! 🎉🎊🎈

User 프롬프트: 사랑스럽게 답장해줘

ChatGPT

당신의 성공에 대한 기쁨과 사랑스러운 마음을 담아 축하드립니다! 당신의 노력과 열정이 크게 보답받았기를 진심으로 축하합니다! 미래에도 더 많은 행복과 성공이 함께하길 기원합니다. 사랑스러운 당신에게 더 많은 행운과 행복이 가득하길 바라며, 항상 빛나는 미래를 만들어가시기를 기대합니다! 💌💗🎊

User 프롬프트: 친구에게 말하듯 답장해줘

ChatGPT

와~ 대박이다! 축하해~ 너무 멋지다! 계속해서 노력하고 성공하는 모습을 지켜보고 싶어! 앞으로도 더 많은 좋은 일들이 널 기다리고 있을 텐데, 기대돼! 사랑해~ 🖤

User 프롬프트: *"김수량 대표님 생일 축하드려요"라는 문구가 적힌 보석으로 만든 3단 케이크를 만들고 우주선 티켓을 함께 선물할건데 그려줘.*

ChatGPT

Generated by DALL·E: 생일축하 케이크와 우주선 티켓

지인의 생일케이크와 선물을 인공지능을 활용해 그려서 전달한 것은 생일 축하는 단순한 이벤트를 넘어서, 진정한 소통과 공감의 장이 되었습니다.

인공지능이 만들어낸 화려하고 상세한 케이크는 무한한 우주 속 별과 행성들을 담아냈으며, 미래에 마치 진짜 우주 여행을 약속하는 듯한 우주선 티켓은, 지인에게 놀라움과 감동을 주기에 충분했습니다.

생일이라는 특별한 날, 인공지능이 선사한 이 경험은 지인에게 단순한 선물을 넘어 새로운 꿈과 가능성의 메시지를 전달했습니다.

이렇게 우리는 기술을 통해 마음을 연결하고, 새로운 추억을 만들어가는 것이죠.

이 작은 행성에서 시작된 우정이 우주를 담은 케이크 한 조각과 함께, 무한한 상상력으로 확장되는 순간을 함께 나눌 수 있어서 감사한 마음이 들며 마음이 따뜻해졌습니다.

-인공지능을 활용한 소통과 공감 학습

이 외에도, 인공지능을 이용해 효과적인 커뮤니케이션 전략을 개발하고, 다양한 문화적 배경을 이해하는 등의 교육적인 콘텐츠를 접할 수 있습니다. 이런 접근은 사용자가 사회적 상황에서 더 나은 소통과 공감 능력을 발휘하도록 도와줍니다.

종합하면, 인공지능 기술은 소통과 공감 능력이 부족한 사람들이 이를 향상시킬 수 있는 다양한 도구와 방법을 제공합니다. 지속적인 학습과 연습을 통해 인간관계에서 더 효과적이고 의미 있는 상호 작용을 할 수 있게 됩니다.

인공지능(AI)은 개인의 심리적인 부분에 대한 이해와 개선에 많은 도움을 줄 수 있습니다. 예를 들어, 뒷담화를 하는 사람들이 심리적인 이유로 인해 대면 상황에서 상대방과의 소통에 어려움을 느낄 때, 인공지능을 활용한 다양한 방법으로 이를 개선할 수 있습니다.

.AI는 사용자의 말을 분석하여 감정 상태를 파악하고, 이에 기반한 맞춤형 조언을 제공할 수 있습니다. 이를 통해 사용자는 자신의 두려움과 불안감을 극복하는 방법을 배우고, 대인 관계에서 더 건강한 소통 방식을 개발할 수 있습니다.

이처럼 인공지능은 소통과 공감 능력이 부족한 사람들이 자신의 감정을 더 잘 이해하고, 타인과의 관계에서 더 효과적으로 상호 작용하는 방법을 배울 수 있도록 지원합니다. AI의 이러한 활용은 심리적인 성장과 발전을 촉진하고, 건강한 대인 관계를 형성하는 데 도움을 줄 수 있습니다

9장.
패션디자인하기

챗GPT를 활용하여 패션 디자인에 도전한 경험은 정말 흥미로 웠습니다. 기존에 디자인을 해보지 못했던 저에게 챗GPT는 새로운 가능성의 문을 열어주었죠.

처음으로 도전한 것은 가디건 디자인이었습니다. 챗GPT에게 제가 원하는 스타일과 색상, 재질에 대해 설명했고, 인공지능은 제 생각을 구체적인 디자인으로 표현해냈습니다.

이 과정에서 챗GPT는 다양한 스타일의 가디건 사진과 스케치를 참고로 제공했습니다. 그 중에서도 저는 특히 브이넥 디자인과 스마일이 들어간 가디건에 매력을 느꼈습니다. 챗GPT와의 대화를 통해 완성된 가디건 디자인은 단순히 예쁜 것을 넘어서, 저만의 개성이 담긴 작품이 되었습니다.

두 번째 프로젝트는 친구의 결혼식에 입고 갈 투피스 옷을 디자인하는 것이었습니다. 이번에도 챗GPT의 도움을 받아, 제가 원하는 분위기와 스타일을 정확하게 전달했습니다. 특히 친구의 결혼식이니 만큼, 세련되면서도 축제 분위기에 어울리는 디자인을 원했죠.

챗GPT는 제가 설명한 분위기를 이해하고, 몇 가지 스타일의 투피스 디자인을 추천해주었습니다. 그 중에서도 고급스러운 레이스 소재와 우아한 실루엣이 돋보이는 디자인이 마음에 들었습니다.

챗GPT와의 협업을 통해 저는 디자인 작업이 단순히 전문가의 영역만은 아니라는 것을 깨달았습니다. 인공지능의 도움으로 저처럼 디자인에 대한 지식이 부족한 사람도 자신만의 옷을 만들어볼 수 있다는 사실에 큰 감동을 받았습니다. 이제 저는 더 많은 디자인 작업에 도전하고 싶어졌고, 챗GPT는 디자인을 못하는 제게 새로운 가능성을 열어주었습니다.

User 프롬프트 : 아래 글을 참고해서 가디건 디자인 해줘

1. 색상: 밝은 베이지 또는 아이보리색 기본색을 사용합니다.

2. 그래픽 패*: 대담하고 다채로운 색상의 추상적인 그림이나 도형을 사용하여 전체 가디건에 걸쳐 배치합니다.

3. 소재: 가볍고 부드러운 소재로, 예를 들면 코튼이나 모달 혼방 소재를 사용합니다.

4. 소매: 긴 소매와 조절 가능한 소매 끝을 디자인합니다.

5. 단추: 큼직한 단추를 사용하여 포컬 포인트를 만듭니다.

6. 목 라인: V-넥 라인으로, 단추가 시작되는 부분입니다.

7. 길이: 허리 길이나 엉덩이를 덮는 길이로 합니다.

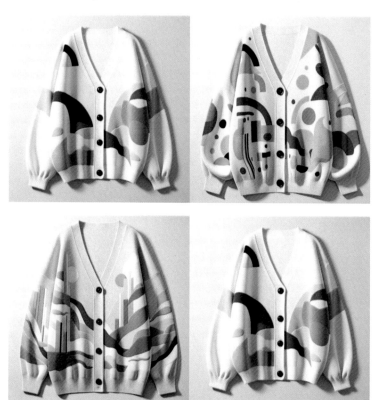

여러분에게 제안한 가디건 디자인 이미지들을 확인해보세요!
어떤 스타일이 마음에 드시나요? 추가적인 수정이나 변경을 원
하시면 언제든지 말씀해주세요!

User 프롬프트

팬더가 서핑하는 그림 그려져있는 티셔츠 디자인해줘

Generated by DALL·E

서핑하는 팬더가 그려진 티셔츠 디자인을 확인해보세요! 어떤 디자인이 마음에 드시나요? 다른 스타일이나 수정을 원하신다면 알려주세요!

User 프롬프트

여성 가을 가디건 보이시한 스타일로 디자인할건데 스마일 이미지와 보라색을 넣어서 디자인해줘

Generated by DALL·E

보이시한 스타일의 여성 가을 가디건 디자인을 확인해보세요! 보라색과 스마일 이미지가 포함되어 있습니다. 어떤 디자인이 마음에 드시나요? 다른 요청이나 수정 사항이 있으시면 말씀해 주세요!

User 프롬프트: 핑크로 바꿔줘

Generated by DALL·E

핑크색으로 디자인된 보이시한 스타일의 여성 가을 가디건 디자인을 확인해보세요! 스마일 이미지가 포함되어 있습니다. 이 디자인들 중에서 마음에 드는 것이 있으신가요? 추가적인 요청이나 수정 사항이 있으면 알려주세요!

User 프롬프트

친구 결혼식에 입고갈 투피스 정장 디자인할건데 상의는 짧고 하의는 길게 연보라색으로 디자인해줘

Generated by DALL·E

Generated by DALL·E

연보라색으로 디자인된 투피스 정장 디자인을 확인해보세요! 친구의 결혼식에 참석하기에 적합한 스타일로 디자인되었습니다. 이 중에서 마음에 드는 디자인이 있으신가요? 다른 요청이나 수정 사항이 있으면 알려주세요!

User 프롬프트

트위드 소재로 상의는 크롭스타일 치마는 플레어스타일로 밝은
보라색으로 디자인해줘

Generated by DALL·E

밝은 보라색 트위드 소재의 투피스 정장 디자인을 확인해보세요! 상의는 크롭스타일로, 치마는 플레어 스타일로 디자인되었습니다. 이 중에서 마음에 드는 디자인이 있으신가요? 다른 요청이나 수정 사항이 있으면 알려주세요!'

User 프롬프트

정장 스타일로 치마는 길게 만들어줘. 여성정장투피스 트위드 소재로 상의는 크롭스타일 치마는 플레어스타닐로 밝은 보라색으로 디자인해줘

Generated by DALL·E

인공지능을 활용한 의상디자인에 재미를 느끼고 공부하다 인공
지능을 통한 손쉽게 디자인 제작해주는 패션 어시스턴트 AI인
refabric 앱을 통해 송년파티드레스에 어울릴만한 드레스를 제
작해 보았습니다.

AI를 통해 만든 파티드레스를 입어보진 못했지만, 이 가상의 드
레스를 디자인하는 과정에서 느낀 대리만족은 실제로 착용한
것만큼이나 짜릿했습니다. 온라인 상에서만 존재하는 이 드레
스는, 마우스를 클릭하는 순간, 제가 파티의 주인공으로 변모할
수 있는 마법 같은 경험을 선사했습니다.

User 프롬프트:

다크 네이비를 기본 색상으로 사용하고 포인트 색상으로 골드 스팽글장식의 섹시하고 글래머러스한 파티 드레스.

Refabric Ai를 활용해 만든 송년 파티 드레스

ReFace AI를 활용해 모델 얼굴을 사용자로 바꿔 적용한 이미지

-인공지능을 활용해 의상 디자인하기

목표 설정: 인공지능 디자인 툴을 사용하여 어떤 유형의 패션 아이템을 만들 것인지 명확히 합니다. 예를 들어, "인공지능을 활용하여 도시적이면서도 지속 가능한 소재를 사용한 가을 시즌 여성용 코트 디자인하기."

스타일 지정: 디자인할 패션 아이템의 스타일과 분위기를 정합니다. "현대적이고 미니멀리즘을 강조하며, 편안함과 세련됨이 공존하는 스타일을 지향합니다."

색상 및 소재 선택: 사용할 색상 팔레트와 소재에 대한 지침을 제시합니다. "지구 톤 색상을 중심으로 자연에서 영감을 받은 패턴 사용, 재활용 가능한 소재를 활용한 친환경적 디자인."

기능성 고려: 디자인할 아이템의 기능성 요소를 명시합니다. "포켓이 많아 실용성을 강조하며, 변덕스러운 가을 날씨에 적합한 방풍 및 방수 기능을 갖춘 코트."

대상 고객: 디자인할 아이템의 타겟 고객층을 정의합니다. "20대 후반에서 30대 초반의 도시 여성을 타겟으로 하며, 일상적인 출근 룩과 캐주얼한 주말 룩 양쪽에 모두 잘 어울리는 유연성을 고려합니다."

트렌드 분석: 최신 패션 트렌드를 반영할 지점을 지정합니다. "2024년 가을/겨울 시즌의 트렌드를 반영하여 패딩과 퀼팅 디

테일을 적용한 디자인."

창의적 요소: 인공지능에게 요구할 독특한 창의적 요소를 추가합니다. "인공지능이 제안하는 독창적인 칼라 디테일과 비대칭적인 절개선을 탐색해봅니다."

이와 같이 프롬프트를 작성하면 인공지능 패션 디자인 툴이 요구사항에 부합하는 아이디어를 생성하고, 실제 디자인으로 구현할 수 있는 기반을 마련할 수 있습니다.

이렇게 몇번의 과정을 통해 인공지능을 활용한 패션디자인에 재미와 흥미를 느끼게 되었고 더 나아가 인공지능을 활용해 나만의 드레스를 디자인하고 그 드레스를 입은 모습까지 나의 얼굴로 완성하는 경험은 전에 없던 새로운 가능성을 내게 열어주었습니다.

처음에는 인공지능이란 도구에 익숙하지 않아 망설임이 컸습니다. 하지만 조금씩 인터페이스에 익숙해지고, 알고리즘의 제안을 바탕으로 내 취향과 비전을 혼합하면서, 점차 내 마음에 드는 디자인이 형태를 이루기 시작했습니다.

다크네이비 색상의벨벳과 황금색 자수가 어우러진 드레스는, 나의 개성을 담은 동시에 송년회의 우아한 분위기를 담아냈습니다.

그렇게 탄생한 드레스를 입은 모습을 내 얼굴로 바꾸는 작업은 더욱 매혹적이었습니다. AI 기술을 활용해 실제로 드레스를 입어본 것처럼 이미지를 합성하니, 마치 거울 앞에 선 듯한 착각에 빠졌습니다. 이 과정을 통해, 나는 실제로 드레스를 입고 송년의 밤을 즐기는 나 자신을 상상할 수 있었습니다.

이 체험은 단순한 디지털 아트워크를 넘어, 나의 자신감과 창의력을 불어넣어주었습니다. 인공지능의 무한한 가능성을 활용해 나만의 스타일을 창출하고, 그것을 현실로 가져오는 경험은, 향후 내가 어떤 새로운 도전에 맞서든 두려움 없이 맞설 수 있는 용기를 주었습니다. 송년의 밤을 빛내줄 드레스 디자인은 시작에 불과했습니다. 이제 나는 인공지능을 파트너 삼아 새로운 창작의 영역으로 발을 내딛을 준비가 되었습니다.

10장.
나만의 챗봇 만들기

ChatGPT에서 GPTS 만들기

챗봇 GPTS 만들기

GPT 빌더:

안녕하세요! 새로운 GPT 챗봇을 만들 수 있도록 도와드리겠습니다. "새 제품의 비주얼을 생성하는 데 도움을 주는 크리에이터를 만들어 주세요." 또는 "내 코드 형식을 지정하는 데 도움을 주는 소프트웨어 엔지니어를 만들어 주세요."와 같이 말할 수 있습니다.
무엇을 만들고 싶으신가요?

User 프롬프트:

지나친 생각과 감정 기복이 있는 사람들을 위한 가이드, 긴장을 푸는 데 도움이 되는 명상과 마음챙김 기법에 대해 알려주

는 챗봇을 만들어주세요

GPT 빌더

이 챗봇의 이름은 "마음챙김 가이드"는 어떨까요? 마음에 드시나요?

User 프롬프트: 다른 제목으로 해주세요.

GPT 빌더

좋아요, 이 GPT의 이름으로 "마음 안정 멘토"는 어떨까요? 찾고 계신 주제에 적합하나요?

User 프롬프트: 네

GPT 빌더

"평온한 마음 멘토"의 프로필 사진입니다. 마음에 드시나요, 아니면 변경하고 싶으신가요?

GPT 빌더

"평온한 마음 멘토"의 프로필 사진이 업데이트되었습니다. 이 사진에 대해 어떻게 생각하시나요? 추가로 조정하고 싶은 사항이 있으신가요?

User 프롬프트:

명상하는 사람의 사진을 추가해주세요.

GPT 빌더

잔잔한 호수 옆에서 명상하는 사람의 모습을 담은 새로운 프로필 사진입니다. 이 이미지가 '평온한 마음 멘토'에 대한 기대에 부합하나요, 아니면 다른 옵션을 살펴보고 싶으신가요?

User 프롬프트:

https://blog.naver.com/sinna21Build 이 블로그 게시물을 바탕으로 구성해주세요.

GPT 빌더

제공된 링크의 블로그 게시물을 기반으로 구축하려면 해당 콘텐츠와 확장하려는 특정 측면을 이해해야 합니다. 블로그 게시물의 주제와 개선하거나 더 자세히 살펴보고 싶은 부분에 대한 자세한 내용을 공유해 주시겠어요?

User 프롬프트:

마음챙김 명상과 마음챙김에 관하여

GPT 빌더

이제 마음챙김 명상 및 수행을 전문적으로 안내하는 '평온한 마음 멘토'가 업데이트되었습니다. 마음챙김을 향상시키기 위한 자세한 설명, 팁, 기술을 제공하여 사용자가 정신적 명료함과 정서적 안정을 얻을 수 있도록 도와줍니다.

놀이터에서 GPT와 상호작용하며 반응을 살펴보고 싶으신가요? 이를 통해 동작을 더욱 세분화할 수 있습니다. 구체적인 조정 사항이 있으면 알려주세요!

User 프롬프트: *좋아요*

GPT 빌더

업데이트가 마음에 드신다니 기쁘네요! 놀이터에서 "평온한 마음 멘토"를 자유롭게 테스트해 보세요. 개선할 점이나 추가적으로 조정하고 싶은 사항이 있으면 알려주세요. 여러분이 만족할 수 있도록 세밀하게 조정해 드리겠습니다. 어떻게 진행하시겠어요?

User 프롬프트:

집필용-회복탄력의 신세계-결합됨.pdf 첨부
66일 동안 혼자 명상하는 습관을 기를 수 있도록 도와주는 챗봇을 만들고 싶습니다.

GPT 빌더

이제 66일 동안 혼자 명상하는 습관을 기를 수 있도록 도와주는 챗봇 'Calm Mind Mentor'가 출시되었습니다. 명상 수행을 위한 매일의 지침, 팁, 격려를 제공하고, 진행 상황을 추적하며, 동기 부여를 위한 지원을 제공합니다.

GPTs 챗봇생성 과정

완성된 'Calm Mind Mentor' GPTs 챗봇

Calm Mind Mentor

Helps build a 66-day meditation habit with
daily guidance.

By CHANG SUN YOUNG

Powered by

✧ GPT-4

Browsing, Advanced Data Analysis, and
DALL·E are now built into GPT-4

✓ DALL·E   ✓ Browsing

'Calm Mind Mentor' 챗봇 사용해서 대화하기

User 프롬프트: 1일차 명상가이드 알려주세요

GPTs

1일차 명상 가이드를 위한 제안을 드리겠습니다. 첫날 명상은 몸과 마음을 명상의 과정에 익숙하게 하는 것에 초점을 맞춰야 합니다. 다음 단계를 따라해 보세요:

편안한 장소 찾기: 조용하고 방해받지 않는 공간을 선택하세요. 편안한 자세로 앉거나 누워주세요.

호흡에 집중하기: 눈을 감고, 천천히 숨을 들이쉬고 내쉬는 것에 집중하세요. 숨을 들이마실 때 배가 부풀어 오르고, 내쉴 때는 배가 내려가는 것을 느껴보세요.

마음의 산만함 인식하기: 마음이 산만해지는 것은 자연스러운 현상입니다. 생각이 떠오르면, 그것을 인식하고 다시 호흡에 집중하세요.

짧게 시작하기: 처음에는 5-10분 동안 명상을 해보세요. 시간이 지나면서 서서히 명상 시간을 늘려가세요.

명상 종료하기: 명상을 마칠 때는 천천히 눈을 뜨고, 몸을 움직여 정상적인 활동으로 돌아가기 전에 잠시 휴식을 취하세요.

명상은 연습과 인내가 필요한 과정입니다. 첫날부터 완벽을 기대하지 말고, 자신을 있는 그대로 받아들이며 차근차근 진행하세요. 내일 다시 만나서 2일차 명상 가이드를 드리겠습니다. 오

늘의 명상 경험을 나누고 싶으시면 언제든 말씀해 주세요.

User 프롬프트:

빠르게 성공하고 싶은 조급한 마음이 들때 어떤 명상을 해야 할까요?

GPTs

조급한 마음을 가라앉히기 위한 명상 방법을 알려드리겠습니다. 이러한 감정은 일상에서 자주 겪을 수 있는 것이며, 명상을 통해 조급함을 관리하고 평온함을 되찾는 데 도움이 될 수 있습니다.

앉아서 편안한 자세를 취하기: 조용한 곳에서 편안하게 앉으세요. 등을 곧게 펴고 어깨는 이완시킵니다.

호흡에 집중하기: 눈을 감고, 천천히 깊게 숨을 들이마시고 천천히 내쉬세요. 호흡을 통해 몸과 마음이 이완되는 것을 느껴보세요.

조급한 감정 인정하기: 마음이 조급하다는 것을 인정하고, 그 감정을 느껴보세요. 감정을 평가하거나 판단하지 말고 그냥 관찰하세요.

긍정적인 말 반복하기: 내면에서 "나는 평온하다", "나는 차분하다"와 같은 긍정적인 말을 반복하세요. 이 말들이 마음속에 스며들게 하세요.

감정의 변화 관찰하기: 명상하는 동안 조급함이 어떻게 변하는지 관찰하세요. 감정이 가라앉기 시작하면, 그 느낌에 집중하세요.

명상 마무리하기: 10분 정도 후, 천천히 명상을 마치고 일상으로 돌아가세요.

조급함을 느낄 때마다 이러한 명상 방법을 시도해 보세요. 꾸준한 연습을 통해 마음의 평온을 찾는 데 도움이 될 것입니다. 기억하세요, 명상은 즉각적인 해결책이 아니라 지속적인 연습과 인내가 필요한 과정입니다. 조급한 마음을 가진 것에 대해 자책하지 마시고, 차분히 자신의 감정을 관찰하는 연습을 해보세요.

-인공지능을 활용해 챗봇 만들기

ChatGPT를 활용해 GPTs 기능으로 명상에 관련된 콘텐츠를 직접 기획하고 개발해본 경험은 매우 특별한 도전이었습니다.

이제 66일 동안 혼자 명상하는 습관을 기를 수 있도록 도와주는 챗봇 'Calm Mind Mentor'가 출시되었습니다. 명상 수행을 위한 매일의 지침, 팁, 격려를 제공하고, 진행 상황을 추적하며, 동기 부여를 위한 지원을 제공합니다.

이 새로운 시도를 통해, 저는 명상하는 습관을 기르는 챗봇을 만들어내는 과정을 배웠으며, 이 챗봇은 사람들이 일상에서 쉽게 명상을 접할 수 있게 해주는 역할을 하고 있습니다. 이 챗봇은 PDF 파일 형태로 작성한 명상 가이드를 기반으로 하여 사용자가 일상에서 쉽게 명상을 실천할 수 있도록 안내합니다.

저는 이 과정에서 ChatGPT의 다양한 기능들을 활용하여 명상 콘텐츠를 만드는 것뿐만 아니라, 챗봇을 통해 개인적인 명상 지도를 제공하는 것까지 확장할 수 있는 가능성을 발견했습니다. 이러한 챗봇은 누구나 쉽게 자신만의 버전으로 만들어 웹사이트에 연결하고, 이를 통해 개인적인 취향이나 사업적인 목적으로 활용할 수 있음을 보여줍니다.

이 프로젝트를 진행하며 저는 기술의 잠재력을 실감했고, 인공지능이 제공하는 도구들이 얼마나 강력한지를 이해하게 되었습니다. 앞으로도 이러한 기술을 활용하여 더욱 많은 사람들이 쉽고 효과적으로 명상을 실천할 수 있도록 도와주는 것이 저의 목표입니다. 이 경험은 또한 저에게 끊임없이 학습하고 탐색해야 한다는 것을 상기시켜주며, 새로운 도전에 맞서는 용기를 불어넣어주었습니다.

마치며

인공지능(AI)을 활용한 창작 활동을 경험하면서, 저는 제 자신의 생각이 얼마나 확장될 수 있는지, 그리고 저에게 얼마나 큰 잠재력이 있는지를 알게 되었습니다. 처음에는 단순히 새로운 기술을 시도해보는 것이었지만, 이제는 인공지능과의 협업을 통해 나만의 독창적인 작품을 만들어내고 있습니다.

이 과정을 통해 저는 한계가 사실은 마음속에만 존재한다는 것을 깨달았습니다.

인공지능을 활용하여 소설과 영화시나리오를 쓰고, 유튜브 채널을 만들고 그림을 그리며, 심지어 미래의 나를 시각화하는 작업까지 해냄으로써, 저는 새로운 창작의 가능성에 눈을 떴습니다. 이러한 시도들은 저에게 무한한 영감을 주었고, 실패에 대한 두려움을 극복하게 만들었습니다.

앞으로도 저는 끊임없이 새로운 것에 도전할 것입니다. AI와 함께하는 창작 여정은 이제 막 시작되었고, 저는 이 기술을 통해 예술, 글쓰기, 디자인 등 다양한 분야에서 제 한계를 시험하고 싶습니다. 실패를 두려워하지 않고, 성공이라는 결실을 맺기 위해 계속해서 도전하겠습니다.

저의 여정이 여러분에게도 영감을 주었기를 바랍니다. 여러분도 자신의 잠재력을 발견하고, 그것을 세상에 표현하는 데 주저하지 않기를 바랍니다. 인공지능이라는 놀라운 도구와 함께라면, 우리 모두는 더욱 풍부하고 창의적인 삶을 살아갈 수 있습니다. 저는 앞으로도 이 흥미진진한 여정을 이어가며 꿈을 현실로 만들어 나가는 노력을 멈추지 않을 것입니다.